タウトが撮ったニッポン

BRUNO TAUT
A Photo Diary in Japan

武蔵野美術大学出版局

カメラを構えるブルーノ・タウト
1933年秋、東京

BRUNO TAUT: A Photo Diary in Japan
Edited by SAKAI Michio and SAWA Ryoko
Published by Musashino Art University Press Co., Ltd.
3-7 Kichijoji-higashicho 3chome, Musashino-shi,
Tokyo 180-8566, Japan
First edition 2007

Diary & Photographs: Bruno TAUT

Design: BANDO Takaaki, SAKANAKURA Mutsuko
Printing: Seikosha Printing Co., Ltd.

ISBN978-4-901631-75-4C0072
Printed in Japan

目次

タウトの遺品

沢 良子

日本におけるタウト

建築家ブルーノ・タウトは、1933年3月5日のナチス政権成立を目前とした3月1日、その支配体制から逃れるために母国ドイツを後にした。当時53歳であったタウトは、エリカ・ヴィッティヒを伴い、以後の足跡を日本、そして終焉の地トルコ共和国それぞれに残すことになる。

ドイツでのタウトは、第1次大戦前から戦後にかけて、ベルリンなどに展開された集合住宅建設事業の中心的存在であった。タウトが建設した1万2千戸にのぼる集合住宅は、現在でもドイツにおける建築家タウトの偉業を伝え続けている［図1-3］。

また、大戦終結直後のドイツの混乱期には、造形学校バウハウスの創設者ヴァルター・グロピウスとともに芸術労働評議会を結成し、ヴァイマール共和国における新しい芸術運動を主導するなど、その活動は近代建築史においても特筆すべき歴史として記録されている。

日本での活動については後に詳しくふれるが、トルコ共和国でのタウトは、共和国建国の父とされるケマル・アタチュルクの信頼も厚く、首都アンカラ、イスタンブールなどに学校施設をはじめとする多くの建築を実現させた［図6-7］。ドイツ本国とトルコ共和国には、建築家として多忙な日々を過ごしたタウトの活動成果が、現在でも多数残されている。

しかし日本におけるタウトの状況は、ドイツ、トルコ共和国とは異なるものであった。

タウトは昭和8（1933）年5月に来日し、昭和11（1936）年10月に日本を離れるまでの3年半を日本に過ごした。日本での生活を「建築家の休暇」と自称していたタウトは、2年以上を群馬県高崎市・少林山達磨寺の敷地内にある洗心亭と名付けられた小住宅に住まい、建築家としてはわずか2作品を実現させただけであった［図4-5］。代わって「休暇」中の多くの時間は、仙台や

1

2

3

1. ファルケンベルク・ジードルンク（ベルリン）1914
2. ツェーレンドルフ・ジードルンク（ベルリン）1926-31
3. バーラッシュ兄弟商会の正面色彩計画（マグデブルク）1921-23（「建築家ブルーノ・タウトのすべて」展図録、1984年より）

＊ 1-2、6-7は筆者撮影

高崎での工芸品の指導や各地での講演会、そして執筆活動にあてられることになった。

その結果タウトは、滞日中に2冊の単行本(『ニッポン－ヨーロッパ人の眼で見た』明治書房1934年、『日本文化私観』同1936年)を残し、また雑誌や新聞などに、さほど多くはない原稿を発表した。しかしタウトが日本を離れ、トルコ共和国に没した後も、タウトの原稿を集成した『日本美の再発見』(岩波書店 1939年)、『タウト全集』(育生社弘道閣 1942-44年)などが刊行され、戦時体制下の出版統制の時代にあっても、タウトの自著をふくむこれらの本は出版が続けられていった。タウトの言説は、日本の時代状況のなかで、おそらくタウトにとっても予想外の影響を残すことになるのである。

日本でのタウトは、建築作品を残すことはほとんどできなかった。しかし著作による影響は多大なものであった。つまり日本におけるタウトは建築家タウトではなく、その著作活動によって、「日本美の発見者」という位置づけを与えられた存在だったのである。

日記と写真アルバム

タウトの著作活動の軌跡は、現在「ブルーノ・タウト遺品および関連資料」(以下、タウト資料と省略)として、そのほとんどが岩波書店に所蔵されている。タウト資料は、タウトの手稿や書簡を中心として、その他手帳やメモ帳などの遺品によって構成されているものだが、現在のところ来歴の詳細は明らかではない。タウト原稿の翻訳を手がけた篠田英雄氏に手稿などが託されたことは確かであるが、それがタウトから直接のことであったのか、それともタウト没後にエリカによるものであるのかは判然としない。

いずれにせよ、篠田氏の没後に同氏によって岩波書店に委譲

4

5

4. 日向別邸（静岡県熱海市）1936（『国際建築』1936年12月より）
5. 大倉邸（東京）1936（『国際建築』1936年12月より）

6

7

6. アンカラ大学文学部講堂ホール（アンカラ）1938
7. ジャパニーズ・ハウス。タウトが自邸として設計したが、竣工目前に他界。（イスタンブール）1938

8

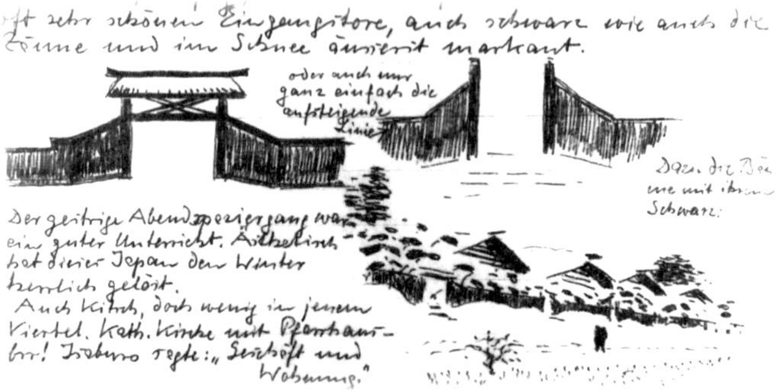

9

10

タウト自筆日記 “Japan” より

8. かまくらの子供たち、1936年２月７日［p. 89］
9. 秋田の美しい門、1936年２月10日［p. 91］
10. 秋田の積雪、1936年２月７日［p. 88］

されたタウト資料は、タウトがドイツを離れて後、トルコ共和国に没するまでの活動を伝える唯一の資料となっている。タウト資料は現在およそ320点が確認され、筆者による調査は継続中である。

タウト資料のなかでも、日本での生活を克明に綴った日記（Japan I-VIII）は貴重資料のひとつである。戦後、篠田英雄氏の翻訳によって『日本―タウトの日記』（岩波書店、5巻本1950-58年、3巻本1975年）として出版されている。日記は、ドイツの家族や友人たちに宛てた手紙を兼ねた日常の記録であったためか、手稿にはまるで絵日記のように多くのスケッチが描き込まれている［図8-10］。このスケッチからだけでも、タウトのモノへのまなざしが、伊勢神宮や桂離宮に代表される「日本の美」だけに向けられたものではなかったことをうかがい知ることができる。

そして今回の調査で、初めて発掘されたものが写真アルバムである。4冊のアルバムの表紙には、タウトの手になるものか否かは定かではないが、それぞれ赤鉛筆でローマ数字I-IVの番号がふられ［p.22］、写真はほぼ年代順に貼り込まれている。アルバムIは昭和8年3月以降から10月頃まで、IIは昭和9年3月頃まで、IIIは昭和10年2月頃まで、IVは同年5月から翌年初冬までとみられる。

アルバムの大きさはすべて33.5x24.5センチ、台紙の合計は89枚になる（1冊目36枚、2冊目23枚、3冊目21枚、4冊目9枚）。日本での写真は台紙5枚目の「京都の町並み」［p.19］から始まり、以後3年半の日本滞在中に、タウトはおよそ1400点の写真をアルバムに残していた。その写真のほとんどは、なぜかピンぼけである。ピンぼけではあるが、タウトが撮影した写真は、もはや見ることのできない昭和初期の日本の姿をくっきりと浮かび上がらせ、タウトの眼の記録を伝えるものとなっている。

タウトのまなざし

タウトがいつから写真を撮りはじめたのかは定かではないが、小型カメラが普及した1920年代のことには違いないだろう。アルバムには、東京の建築を見学した際に、同行者が撮影したタウトの姿も収められている［p. 3］。タウトは蛇腹のついた小さなカメラをのぞき込んでいるのだが、そのカメラはコダック社製の通称「ヴェス単」と推測される。

ベルリンを出発してから日本に至るまでを記録した「日本まで」（Bis Japan、邦訳「日本への旅」、吉田鉄郎訳『建築と芸術』雄鶏社 1952年）によれば、ナチによる逮捕から逃れるための急な旅立ちであったことから、祖国を離れるときにはわずかな身の回りのものだけを持ち出したとある。その荷物のなかに愛用のカメラを入れたのか、それともベルリンを出た後に買い求めたのか。カメラの由来は定かではないが、アルバムⅠのはじめの台紙4枚には、タウトとエリカがベルリンを出発した後、日本に至る途中に撮影されたと思われるコルビュジエの建築［p. 18］やパルテノン神殿の写真、パリやナポリなどヨーロッパの町並み、船からの眺めなどが収められている。

来日後、つまり台紙の5枚目以降には、整理番号のようなものが集中して書き込まれている［p. 19］。この番号が、『ニッポン―ヨーロッパ人の眼で見た』の手稿巻末につけられた「図版リスト」と一致することは、本書の酒井道夫氏の論考に詳しい。さらにタウトは、アルバムの台紙にキャプションを書き込んでいた［p. 21］。キャプションと被写体を手がかりに、日記の記述との照合を試みたところ、タウトが何を見て日記をつけたのかが明らかになった。この作業によって、これまでタウトのことばだけで語られてきた日本での生活の一部を、タウトの眼の記録としても跡づけることができたのである。

アルバム台紙89枚に残された写真の半数以上は、前述のように昭和8年のうちに撮影されているため、本書に収められている日記と写真についても、昭和8年のものが圧倒的に多くなっている。

昭和11年5月30日の日記終わりには「残念だが、日本に退屈しているとしかいいようがない。Leider schildere ich damit nicht Anderes als unsere vollstädige Japan Müdigkeit.」と記したタウトの心を映すかのように、同年7月30日にトルコ共和国からの招聘が決定すると、心はすでに新たな地への旅立ちにとらわれていたためか、日本での数少ない建築作品である熱海の日向別邸［図4］が、ようやく完成にこぎつけたにもかかわらず、9月20日の感激については日記に記されているだけで、アルバムにタウト撮影の写真は残されていない。

今回、写真と日記の記述からタウトの眼を再現する試みにあたっては、日記原文をもとに篠田英雄氏の翻訳を参考として、筆者があらたに翻訳した。

アルバムの写真と日記の記述を照合する今回の試みは、いわば日本におけるタウトの眼の記録を再構築する試みでもある。そして再構築されたタウトのこのまなざしは、日本におけるタウト評価を「日本美の発見者」だけにとどまらせることなく、建築家タウトがつぶさに記録し続けた昭和初期の日本と、「時代の証言者」タウトの存在を浮かび上がらせる契機になるはずである。

「ブルーノ・タウト遺品および関連資料」は、所蔵者岩波書店からの寄託を受けて、現在、創造学園大学（群馬県高崎市）ブルーノ・タウト記念館が管理にあたっている。本書の刊行に際し、岩波書店には、諸資料の引用の許諾をはじめさまざまな便宜を図っていただき、全面的にご協力をいただいた。また、創造学園大学は資料を作成するうえで協力を惜しまれなかった。ここに記してお礼申し上げたい。

アルバムの台紙を読む

アルバムⅠは、パリ、ナポリ、ギリシャをふくむヨーロッパの町のショットから始まり、場所は不特定だが船のデッキから撮った海面も遺されている。
中段の左から3番目は、パリにあるル・コルビュジエのスイス学生会館（1932年竣工）。アルバム最初の頁。

日本での最初の写真、1933年5月。
上段中央の2枚に写る鯉のぼりは1933年5月4日の日記にも登場［p.25］、右上には桂離宮の竹垣。
「84」「145」等の数字はタウトの自筆で、『ニッポン―ヨーロッパ人の眼で見た』掲載のためにつけた整理番号と推測される。ただし、全部は使用されなかった。
「亀岡」等の日本語は、タウトの日記を翻訳した篠田英雄氏の手によるものと思われる。

1933年6月17日[pp.42-43]。いわゆる琵琶湖周遊の「観光写真」。長命寺の階段に苦しむ記述は日記にもあるが、アルバムではこのように再現される。

1933年初夏。
「Nara」「Kioto」等の書き込みは、タウト自筆。
左上の公園、右下のお膳はサイズも大きく、ピントがよくあっており、タウト撮影ではないようだ。お膳の写真の左から中央の1枚へと矢印が伸びている。中央のお膳はタウト撮影であろう。このように、アルバムにはタウト自身が撮影したものの他、譲り受けたと思われるものも、ところどころに貼り込まれている。

アルバムI-IVの表紙

タウト日記アルバム

ブルーノ・タウト

日記原文は、そのほとんどがメモ形式でつづられており、文法的に完成している文章は非常に少ない。そのためコンマ、ピリオドは原文通りではなく、翻訳にあたって適宜句読点を補った。また、その日の記述すべてではなく、写真とかかわりのある箇所を抜粋し、[　]に訳註を付した。(　)は原文通り。日付については、日記原文とタウトの手帳を参考にした。

沢良子

5・4（木）

1933

入浴後、上野夫妻［伊三郎、リチ］、ガルニエ夫人、下村［正太郎］と朝食。下村からのいただき物、本。庭でプレス用の写真。下村宅での昼食後、上野夫妻、ガルニエ夫人とともに車で京都郊外のカツラパラスト［桂離宮］に向かう。色とりどりの通りの光景、キモノ、女性たち、子供たち、商店、牛が引く車、自転車に乗っている人たちのマスク。黒や赤（意味がある）の魚の旗［鯉のぼり］、市場。竹製の柵、カツラパラストの控え場所とホール。足の不自由なトカゲ。純粋でありのままの建築。感動的で無邪気、それは子供のようだ。本日の期待は満足。［略］

（今日はおそらく私の最高の誕生日だった。アサヒ［大阪朝日新聞］はこう書いていた、「私は［タウトは日本で］ドライブをするのではなく、本気なのだ。だから桂離宮なのだ」と。正解だ）。

5·5（金）

1933

下村と上野夫妻、ガルニエ夫人と汽車（駅舎、書店）で亀岡［京都］へ。川の流れる山地、トンネル、緑の山々。ここから大堰川と保津川を1時間半下るのである。3人の舟人、前に2人、後ろに1人、波の戯れ（絵のようだ）、筏師、巧みな操縦、山からの木材、ウグイス、明るい水の色、詩人のクラブ、山を登って引き上げられる舟、4時間かかるという。舟材は杉。人々（彫刻のようだ）、腰をおろしているピクニックのグループ。嵯峨のレストランで舟が止まった。

5・7（日）
1933

午後、古風なサッカー（ケマリ）を見に貴族のクラブ［京都・華族会館］（このクラブの招待による）。競技は1000年、衣裳は600年前のもの。このような衣裳（男子用）は、以前は住居のなかでも着ていた―だからさまざまな空間に庭の雰囲気がある。「利益を得る」ための競技ではない。 安定して落ち着いた1人の老人［鞠足］。とても古い子供用の衣裳。中庭で衣裳をつけている人々のかたわらにいるこの老人の眼。

5.13（土）

1933

中尾［保］の案内で上野夫妻とともに奈良の法隆寺へ。［略］門［南大門］には遠足の人々（学生、生徒もいる）、年老いた僧が私たちを案内してくれる。主要な門［中門］、2体の彫刻［仁王像］、右側はA字形で赤（金剛）、これは始まり、誕生を意味し、強い劇的な身振りだ。左側［原文では右］はM字形で黒（力士）、終わり、死を意味し苦しげだ（いずれもほぼ1000年以前のもの）。寺の配置は仏陀［講堂］を中心にシンメトリーだ、左に高いパゴダ［五重塔］、右に金堂 ―左右非相称によって対称を強調する。柱の周歩廊（その間に樹木）。

5.15 (月)

1933

カイザー［天皇］の［御所の］外壁のところで行列、寺［神社］の祭だ［京都・葵祭］。
牛が引く古いカイザーの車、使節、寺のための贈りもの。雨だが傘があるのでいっそう美しい。馬に乗る人にさしかける傘は赤く、輝くような赤、たくさんの黄、青、子供たち—全体に透明感がある。［御所の］庭園のなかは眼の驚きだ、弓と矢を持つ貴族、まるで白日夢。高い眼の文化、旗のくすんだ赤に対する赤！ そこで絶え間なく眼が痛む。

5.17（水）

1933

午後上野夫妻と、円山公園［京都］うえのうっそうとした山の斜面にある清水寺（仏教）へいく。塔や階段が地形のなかに美しく配列され、傾斜を利用したうっそうとした山や町への眺め。さまざまなパゴダや寺院への巧みに曲折する道々、中心建造物（いわゆるカテドラル）までの柱廊玄関、暗い柱の間から見える緑、お祈りする人たち、そこからたくさんの支柱で支えられたテラス［舞台］、たくさんの生徒たちが［お寺の］かび臭さを消し去っている。［略］

森に接する寺［奥の院］、そこから大きな階段に向かって吹き出る水［音羽瀧］。肌着を着て噴射する冷たい水を浴びる祈祷者、苦行だ［p. 118 図8］。近くの人たちは―やはり懐疑的だ。妻を連れた1人の参詣者が笑っていた、聖所ではお辞儀をしていたのに（すべての施設の名前は湧き水に由来する）。

5.19（金）

1933

［東京にある］諸国の大使館、アメリカはひどい、ロシアはモダンだが良い（建築家はレイモンド）。［略］

「モダン」なものが最悪だ！　―ライト［正しくは英国工務省設計］の英国大使館は比較的良い。商店街へ、アメリカ風でとぎれとぎれに高く伸びている（許可される高さは塔を除いて31メートル）、困った商業的個人主義だ。節操のなさ、日本の眼の文化がまったくない。広告のついたアドバルーン［p. 118 図9］。

［写真はソビエト連邦大使館、1930年竣工］

5.25（木）

1933

古茂田［甲午郎］と集合住宅団地の建築家が来訪、上野、古茂田とともに三河島［東京］の低所得者の住宅街へ。最下層の労働者、非常に密集して居住し、通りと通路もとても狭い。通りの上に洗濯物。目につくものは、清潔さと身なりが良い子供たち。家のなかは絵のような光景だ。下水道はない。セツルメントの保育所へ。東京市設立のすっきりと整った施設である。世話役は以前は若い学生だった。150人の子供がいる（鼻をかむせいか？［子供たちの］口と鼻に吹き出物があり、危険ではなさそうだが伝染性のものだろう）。女医や保母もいる。中庭の生活。木の建物。この施設から、子供やその家族たちはいろいろな影響を受けている。世話役は、「［ここの住人は］稼ぎがあれば、あった以上に酒を飲む」と言った。わずかな入居費だが、ほとんど支払われない（失業しているので）。

約300戸4ブロックの新しい住宅群。［略］
樹木のアーケードや、まん中に滑り台のある浄水場は悪くない（しかしベルリンなら［ここで］遊ぶことは警察に禁止されるだろう）［p. 34］。ここの子供たちも分別がある、私はまだ迷惑な行為を見たことがなく、狭い通りにおかれた車へのいたずらもない ― 子供たち、これは日本の偉大な奇跡だ。清潔な住居。中庭やアーケードの不潔さ、これは管理の問題だ。ゴミの投げ捨て。屋上に洗濯用流しと鉄管で作った物干。建物は悪くないが、もう少し格好よくできたはずだ。新しいブロックの住宅は高い賃料（4円、水道なし）なのだが、ガスも引いてない。店舗も同じである。それから共同の浴場をのぞく、お湯の入った水盤（［入浴料は］1回4銭か5銭である）。

5.27（土）

1933

昼、山脇夫妻［巌、道子］、土浦［亀城］と、上野にあるミス・ハナヤギ［花柳壽美］の舞踊学校へ。［舞踊を］職業とするための子供と、個人的［趣味］のための子供に教えている。16歳くらいの2人1組の踊り、1人は体操のようにすばらしく［動きに］規律があり無駄がない、昔からある踊りだ（マリイ・ヴィグマンも、おお悲しい）。お弟子さんのなかには青年たちもいる。

5.30（火）

1933

古茂田が［自分の設計した東京・赤坂の］国民学校ヒカワ（氷の川）［氷川小学校］を案内してくれる。20教室あるすぐれた建築だ。各教室までの廊下の窓はオランダ［の学校のもの］に似ている。建築として特別なものはないが、木製の窓枠など、人間的で心地よいプロポーションだ。音楽教室では踊りと歌の披露。音楽はチャイコフスキー（蓄音機）。女の子たちの自由な身振り。休憩の後、子供はアスファルト舗装の中庭で遊ぶ。男女一緒だが、それ以外は分けられている（授業では）。全校の生徒と先生が、校庭に置かれた蓄音機に合せて体操の練習をする。

5·31 I（水）

1933

［横浜の］カフェ、中華街、子供たちの神道の祭。商店のある大通りまで車で行く。街はいつもリボンで飾られている。宣伝の行列（踊る人と太鼓をたたく人とが前後に動く）［チンドン屋］。中国風の料理屋で食事［p. 119 図12］。［略］電車で帰り、それから「銀座パレス」に入る。少女たち［ホステス］のサービス、酔っぱらった商人たち、浪費的で品がない。設備や照明は非常にキッチュ、白い金属パイプ — それが石本［喜久治］の傑作だ、前（19日）のものよりもっとひどい［p. 119 図13］。

6.3（土）

1933

［東京の］ある通りでは有名な女性美容師の葬儀、鳩［飾り］と人工の花［造花］がつけられたたくさんの輪飾りが置かれていた—主な色は白・銀・緑。家の外で食事をしている受付、出入りする弔問客、遺体は奥に安置されている。その家は夜通し開いている。

6.6（火）

1933

日本料理店で食事（たっぷりの米料理）、そのあとカフェに。駅前広場と「ファサード」のある大通り、横浜への幹線道路も同じだ。それから13メートルの大きな仏陀（ダイブツ）［鎌倉・長谷の大仏］へ、ブロンズだ。樹木に囲まれた緑と茶灰色の金属の効果は期待以上だ。まず手（つるつるだ）、そこから頭部と衣のひだへ。清純な像、奥深い感覚だ（震災で少し前方へずれたがまた元の位置へ戻された）。［略］
庭の蓮池のところに、たくさんのゴミや紙くず（日本で初めて見た）。

6.9（金）

1933

［箱根・大湧谷の］次第に強くなる硫黄ガス、水盤には湯、黄緑の蒸気がパイプに付着している。石は暖かく、道は燃えるように熱い。熱い泉。さらに上へ。建物のなかには、新しい水盤が設けてあった、ここから温泉がさまざまな場所やホテルに引かれている。上方の大気は煙たく、地面の下では強烈な硫黄ガスが煮えたぎり、その上に茶店、神道の神社がある。信心深い人々が、崇拝を示すために積み上げた石。女学生、学生、芸者（この岩山で見る衣裳は美しい）をつれた男。玉子は熱い湯気のたつ穴のなかでゆでられている。お茶をのむ。

6.14 (水)

1933

引きつづき資料整理。 午後、比叡山にある上野氏のウィークエンドハウス［上野伊三郎設計］に行く。ケーブルカーまで車で行き、川沿いに登る。とても美しい田園の光景だ。鳩の付いた古い看板（2羽の像はある中国の文字で幸福を意味する）。

6.17(土)

1933

ガルニエ夫妻や上野夫人と一緒に電車で琵琶湖へ[p. 20]。大津から大型汽船に乗船。乗客は日本人だけで、船室にはマット[畳]が敷かれ、大きな船室の両側には正座できるベンチがある。[略]

沖島から湖畔の長命寺へ。そこは小舟![長命寺までの]道のいたる所に物売りがいる。暑い、800段もある急勾配の階段をよじ登る。苦行だ、みんな息が荒い。若い男が意識をなくしたが、田舎の女たちは辛抱強く、男たちはズボン下で寺に行く、キモノは体にぶら下がっているだけだ。

船員は[急げと]せきたてる。[長命寺についた頃は]みんなばててしまった。婦人たちはバターのように溶け、男

たちはぎりぎりまで胸をはだけている。平野への眺望は確かにすばらしい、湖、山々。だが美しいのは休憩のときだけだ。[略]
(年配の)坊さんがろうそくを手にして祈りを唱え、婦人たちに料金を言い、ろうそくをともして祈る。みんなが[一通り祈りを終えて]立ち去ると、坊さんは再び祈りを唱える、「買手」を誘うためである(東京で見た映画[天一坊]は決して誇張ではない)。

6.20（火）

1933

［兵庫県庁の］建築課長山崎氏や永澤氏と一緒に［神戸の］低所得者用の住宅再開発現場へ。150戸が1区画、東京と似ている。ここでは1戸あたり2人から6人が住んでいる。

迷惑行為と闘うための子供の夜の学校がある。公式の家賃は6.5～9.5円、ガス、水道、電気が1.5円。

飲み代を家賃のために貯えさせるべきだ。きちんと家賃を払う者にたいしては、住宅組合から報酬を与える制度がある。社会課の2人の職員。福祉は初歩段階にある。

住宅は未成熟だ。建築がまだよくこなれていない、建築の浪費である。ここの通路は日本で一番悪い、狭いし不気味だ。だが比較的清潔だ。正確な住民の数は判らない。

危険に備え、警察が同行した。住民には朝鮮人が多くなり、日本人は減っている。
— 全体の計画がないように思えた。セツルメントはある。
— 悪臭、胸をはだけた人、あふれるほどの子供たち[pp. 46-47]。

6.23（金）

1933

大阪へ。［略］大きな寺院施設テンノウジ［四天王寺］は、法隆寺の写しだという。鳩がいる。年老いた信心ぶかそうな女たちが、ハンマー［撞木］で［鉦を］コンコンと叩いている［p. 119 図11］。通りには、ぼろを着ているが健康でたくましそうな乞食。路面電車はどこでも醜悪なものだ。通りの上の方は、とても印象深い。ストライプの化粧塗りの塀は特徴的である。外側が非常に立派な多数の新築家屋。［略］

カフェのあるガスビルディングへ。ファサードは適格で良いが、帯状につながるガラスの窓は外観の良さを妨げている。［その窓は］内部に対して意味がない。施工が比較的良く、入念に仕上げられていて、決して悪くない。あとで［四天王寺の］古い寺院施設とともにこの建築を見たとき、感銘を受けた。

7.16(日)

1933

京都は祇園の祭[祇園会]だ。祭の数日まえに上野は、夜の雑踏のなかで、提灯のついた祭用の車[山車]に案内し、音楽[祇園囃子]の説明をした。[略]

ミコシ(本来の神社)を運ぶ。「ホイナ、ホイナ」とけもののようだ、その台座のために[神輿全体が]重たく、神社[神輿]は通りを生き物のように揺れ動き、つき出した腕で高く持ち上げられる。けもののような叫び声、ヒステリックな喜び、忘れることができない。[2階で見物していると]私たちの下の金色の大型コンテナ[山車]は、筋骨隆々とした男たちの上を泳いでいるように見え、担ぎ手たちは熱狂する。[略]

驚くほどさまざまな表情を持つ小さな通りのなか、観衆。

8.7（月）

1933

一昨日、近所［神奈川県・葉山］の墓地で仏式の葬儀があった、遺体は棺に横たわっている（座っていることもある。座ることは日本人の普通の休息姿勢だ）。それぞれの墓はとても狭く、盛り土は別の墓石で一時的に覆う。葬列は非常に美しい。［鉦を叩く］ハンマーの音が墓穴を埋めるまで響き、そのとき［響きは］より早くなる。僧侶とその手伝い（非常に多彩だ、助手は緑、僧侶は紫）、鳩をあしらった白い輪［花環］（これはまた持ちかえられる、造花の蓮華）白い皿形の葉がある。墓の上に4本の竹の枝 — 葉はない。これらは少し前に、葬列のなかの家族によって葉が付いたまま運ばれたものだ。白いパネル［卒塔婆］、喪を示す婦人の白いキモノ。

9.23（土）

1933

吉田［鉄郎］、（小山［正和］はおみやげにイチジク）、斎藤［寅郎］（遅刻）、雑誌の婦人記者（遠藤さん）が来訪。［略］婦人記者、2人の建築家、斎藤と、［建築の］写真を撮りながら東京中をドライブする、雑誌の写真寄稿文のためで、タイトルは「東京での小さな発見ドライブ」。発見―亡くなった老年の建築家の愛らしい住宅（15-20年前の建築）、村野［藤吾］（大阪）の設計した非常に立派な事務所ビル［p.146図19］、そして佐藤［武夫］のモダンな小住宅、日本と現代的なものとの美しい結合だ。非常にたくさんの建築を見て、自分も写真を撮った。

［写真は御茶ノ水駅、伊藤滋設計、1932年竣工］

10.1（日）

1933

非常に重要な日だ。カツラの後の本物の感動だ（時間があれば［桂離宮の］前に［あるべき日だった］）。［伊勢神宮は］完全に日本固有の表現であり、独自の文化の中心、そして世界的な視点においても、伝統的天才的な美だ、イセ（Isheと発音する！）［略］
たくさんの人々（日曜日なので）。木の板の屋根の簡素なホール［斎館］、欠点のないクラシックなプロポーションと、儀式のための建物の前に小石を敷きつめた清潔な広場、写真を撮ることは禁じられている。巨杉にかこまれた大きな敷地［古殿地］、小石の流れに覆われとても清潔で、道を兼ねる別の大きな広場には、聖なる紙の付いた縄によって、足を踏み入れることを禁じている。［略］
長い道のりを自動車で二見へ［三重県］。連なっている農地を走り抜ける。垂直な軒板がある家々。これは羽目板

に従って雨水を滴り落すのに具合が良く、通りに面した切妻［屋根］は見たことがない。海の入り江にある旅館へ。本当に心地よく、日本式だ。沖に艦隊が浮かぶ海の眺め、アマテラスの公園には歴史的な大砲、日本料理で昼食、御馳走だ、めいめいの前に個人用の食卓……［略］

海には聖なる神道の縄で結ばれた2つの岩、もともとは素朴に、太陽［天照大神］のためのものであろう（太い縄は無数の神々を示し、彼らが機嫌を損ねた太陽を洞窟から誘い出したときに、太陽がふたたび隠れることを阻むためのものではなかったろうか）。しかし今、夫婦の岩［夫婦岩］は新婚旅行の巡礼地となり、記念撮影をする場所になっている、などなど。

［写真はいずれも二見］

10.2（月）

1933

下村と朝の風景のなかを宝塚へ（大阪と神戸の間に位置し、娯楽地で温泉場もある）。下村の百貨店従業員［大丸］の慰安会があり、招かれたのである。山のなかは美しい。［略］
［慰安会の］各グループの、鮮かな色に映える明るく強い陽光。百貨店の各部は、今やトラックのまわり半分をかこみ、異なる色のそれぞれのグループは、それぞれに踊り、指揮をして太鼓を叩き、走っている選手を激励するために歌を唄う。色は赤・青・黄・緑・黒と白など日本的で、さまざまな衣装を身に着け、飾り付けをしている。

10.20（金）

1933

上野と染め物工場へ［京都］。ひと幅5メートルの布地を木の板に張りつけ、ひとつのパターンに10から多くて140の型紙があり、それを手で刷る。それから外の庭や室内の作業者の頭上などで乾かすのであるが、ひと幅の布を張りつけた板の両面を乾かすためには5日かかる。色は蒸気によって出てくる（中庭にある蒸気の炉には、常に蒸気を分配するためのマットがある。色の原料は主にドイツからだ）、そして川の流れのなかで洗われる。綿密な仕事、特別な魅力がある手製型紙の染色、職人たちは多くの修練を必要とするので、若いときから学んでいる。色を定着するための糊は、米の粉から作られる。［型紙の］図案は自由な芸術家たちから買われている。

10.23（月）

1933

大軌（大阪の電鉄会社）で、沢田氏、高橋［公男］氏、その他の人々の客として昼食、それから生駒山［奈良と大阪の県境］へ行く。［略］

松林の前に色とりどりの桜の葉がすばらしく、左右に広大な眺望だ。山上はまだほとんど荒らされていないが、運動場には飛行機のメリーゴーラウンドが付いたひどく風変わりな塔があり、エレベーターのおもりで振り子のように動いている。

11.19 (日)

1933

鈴木[道次]氏、剣持[勇]と汽車で塩釜[宮城県]へ行く。[略] 雨のなかの運河の町。旧い商家、昔ながらの家と貴重品のための倉庫[蔵]。(この辺りでは特別な構造をもつ切妻と、非常に洗練されて使われている曲がった木材がある)。石の階段、シダ、楓などが塩竈神社までつづく。[略] 神社の門の建物[山門]には美しい彫像、杉と楓、上にはあざやかな朱赤、いろいろな建築物。牛の彫刻がある、20年ほど前のものだというが、なかなか良い。

12.3（日）

1933

それからさらに高い八木山［宮城県］へ登る。［略］

軽やかに揺れる吊り橋［八木山吊橋］、さまざまな遊具のある子供の遊び場など（このような施設、子供の国にはとりわけ多い）。猿の檻、「木のネズミ」（リスの一種）など。投げ捨てられたたくさんの紙くず。丘には松があり、その後ろには湖、まるで東プロイセンのようだ。もちろん砂地はなく、背後には典型的な日本の山々がある。大気の鋭い明澄さ。

12.24（日）

1933

さて、私たちはクリスマスに、京都に出発。その前はよい天気だった。富士山！ 広大だ。頂上から下の森まで雪に覆われている。まず優美な雪のタルト、それからまたくっきりと平地から上方に、そして夕陽のなかでは赤く染まる、茶や赤の他の山々や森も、何と美しいのだろう。海のように深い青、そして土地、村々の何と美しいことか—天空に輝く赤紫の山は、それは大地というだけではなく天からこの世への贈りものだ。ついに山頂だけに赤い斑点を置き、それから富士全体は来たるべき夜に広げた扇のように—。

ニッポン—私がここにいなくなったら、どれほど君にあこがれることだろう！

I.3（水）

1934

翌日、村［京都・途中村］へ。民家を観察する。それぞれの敷地には小川と橋がなく、ほとんどドイツの農村の心地よさだ。家はすべてが美しくかつ簡素に処理されている。戸口にはわら縄とシダの葉の付いた新年飾り、村の子供たちは群をなして私たちについてくる。男の子は素朴で、女の子は好奇心が強いが恥ずかしがり屋だ、その色とりどりのキモノ（京都では元旦に、少女たちはとりわけすばらしい色とりどりの美しいキモノを着ている。多彩で美しい色は、極端なほどだ。加えて少年たちの色とりどりの凧）。そして琵琶湖の眺め、周囲に山々を廻らして夢のように横たわっている。

2.11（日）

1934

鈴木、剣持の両氏と自動車で七北村［宮城県］に行く。自然のままの美しい風景、農家は京都や東京付近のものよりもいっそう原始的である。たくさんの野生の竹藪、藁葺屋根の家は感動的に簡素で美しい、昔のドイツのような良いものもしばしば見かけた。建物の列、切妻の同じ型の家が、通りに面して静かにくりかえすこの村は、とてもすばらしい。東から西の列は、居室を南側に置くために、片側に20戸。とても簡素で、経済的にはかなり貧しそうだが、道路に面した家は多少［暮らしぶりが］良さそうである。若干の裕福な農家の家屋敷、通りから眺めると収蔵庫［土蔵］は、［村の］中心の教会堂のように見える。土蔵は、白い化粧塗りではなく、黒の上に白い菱形［なまこ壁］になっており、高くそびえている。それにくらべると住居の方は非常に控えめである。

派手な色（ほとんどは赤）のキモノを着たたくさんの子供たち、私たちが子供たちを観察するように、彼らも私たちを大いに観察している［p. 64、p. 153 図38-40］。
山の寺［洞雲寺］に行く。［略］
小山の高い所にたくましい木彫を施した奇妙な小さい寺があるが、彩色されていないためか日光よりは良い。美しい松は、葉を分割されて引っ張られている。さらに、堂々とした農家様式の住職の住まい。玄関には来訪を告げるためにハンマーで叩く、魚の板がかけられている。中庭の岩壁と小川のほとりにも。そこで木の桶［臼］（木の幹から作られていた）で「モチ」をついている、新年のためである。この辺りでは新年を旧暦で祝うので、2月14日が元旦にあたるのである。米を練ったねばねばと

した「モチ」は、スープに入れたり、飾りのお菓子にもなる。米を蒸して、長い時間をかけて、ねばねばした固まりになるまでつきあげる。坊さんと、そのそばに手伝いがいる［p.151 図33］。

2.23（金）

1934

児島［喜久夫］教授と、すばらしい雪景色のなかを松島［宮城県］へ。日本の雪！　昨日一日中降った雪は、とても柔らかく、上等な家々と樹木には深い緑がある。今日は強い太陽の光が降り注いでいる。船は、松のある島の間をすすみ、その島の怪奇なかたちの上には、松ときらきら輝く雪。鋭い寒風が陸の方から海上を吹き渡る、私たちは船室のなかの木炭を入れた鉢［火鉢］にあたり、お茶をのむ。［略］

（松島の近くに新築の好ましい住宅群、まるでジードルンクのようだ）。

［写真左は児島喜久夫、右はエリカ］

2.27（火）

1934

森のなかの裏道沿いに能劇場［能舞台］のある神社、非常に繊細なもので、全体がすばらしく簡素な木の構造だ。舞台のうえで足を踏みならし、板からでる特別な音色を試してみた。全体が田舎風に繊細なこの建物は、中尊寺［岩手県・平泉］で一番印象に残るものだった、やはり日本独特のものだ。

3.22（木）

1934

［愛知県・蒲郡］弁天島がある、明るい太陽に照らされた入江の朝の眺め。金持ちの男が、それほど醜くはないのだが、コンクリートの長い橋を島に架けたことで、美しい景観が破壊されてしまった。島の神社は美しく、すばらしく日本的だ。
ただまたしても、寄贈者の名前と住所のある石が、間隔を置いて一列に並べられていた。だれだれが100円、小さいのは50円など。自然のなかに置かれた神社は、やはり美しかった。神道の理念も美しい。久米［権久郎］は私に、日本人がお辞儀をするのは、理念や、自然の力や、英雄の記念碑の前であり、われわれの教会堂とはまったく異なるということを示した。

4.8 (日)

1934

祇園神社近くの円山公園はもう大変な人出だ、色とりどりの露天、すさまじく多彩だ、春のためにあらゆる色彩で着飾った娘たち、絵描き、その結果、眼はほとんど飽和状態になる。ちょうちん、深い赤、鎖でぶら下がっている。それらは椿の木に沿っている。
有名な円山の老桜は、奇蹟のようにつぼみを付け、すでに咲きかけているものもある。常緑の大樹は深紅の椿の花をつけ、桜と椿は私たちの眼には現実とは思えない。本当に多くの人出、田舎から来たお婆さんや男たちの一団、蓄音機、ラジオ、砂利道で疲れた足は重たそうだ。まるで謝肉祭だ、東京でも［花見のときは］こんな風だという。こまごましたものを商っているたくさんの露店、ちょう

ちん、家の前のささやかな装飾。蛇を持ってふれ回る商人、日本のチェスのようなもの、菓子屋、お茶、ビール、昔ながらの酒の店、かご状のかぶり物をして笛を吹く者［虚無僧］、大道芸の歌手や女性歌手、私はこういう京都の雰囲気が好きだ、これもまた優れた日本だ。

4.17（火）

1934

宇治［京都］へ、宇治は日本第一の茶どころである。水に面した翼のある寺院［平等院、鳳凰堂］。流れの速い［宇治］川沿いの堤には何軒もの茶店、席はさほど埋まっていない。多くの人々はとても大きな酒の瓶を持ってきていて、勢いよく飲んでいる（ほとんどの人は［酒を］温めないが）。「ワイン」で酔っているのは、若者だけだ。酩酊した人たち、テントの下でひどい状態の人たち、歌ったり手拍子をとって踊っている人々［p.107 図5-6］。

5.1（火）
1934

ドライブ、八瀬［京都］に行った。感じのよい谷間の村を散歩した。勤勉で賢く、またいくらか憂いのある農婦たちを眺めるのは、いつも大きな喜びだ。彼らの自然さ、いかにも働き良さそうな衣服（ズボンをはいている）。

6.10 (日)

1934

長いドライブの後、強い硫黄のにおいに満ちた温泉にようやく到着、有名な草津温泉だ。ここは日本人の間では非常に有名なようだが、外国人を見ることはない。たくさんの日本式ホテル、数階建ての建築もある。私たちは［創業］百年という旅館に行った。［略］

屋根はほとんどが板葺き［柿葺、こけらぶき］で、石が載せてある。すべてが絵のようにすばらしい、町のあちこちに、やや黄色味を帯びた鉱泉水の湯と排水溝。［略］

温泉街を一回りする、すばらしい家々。とても簡素な神社［白根神社］。上り下りして硫黄の源泉へ。奇妙な形の植物の根の彫刻を売る店。

8.3（金）

1934

［私たちの家は］村と川を臨む森の斜面に位置し、桑畑と田んぼのある平地、村々への展望も開けた、明らかに見晴らしの良いところにある。小さな家なのだが、その部屋からの眺めはまさにすばらしい絵だ。［略］

しかしその家は一般的な日本家屋の風習に反して、塀のない草地にたっているだけなので、まるで物見高い人々の鳥かごである。初めの日には、たくさんの子供たちが隣［達磨寺］から、そして男と女の先生も私たちを遠巻きにする。彼らはそのために毎日お昼にやってくる、何かを示すために、また私たちが何をするのか — しかし［彼らは］無言だ。［略］

蚊よけのネットを部屋の四隅に掛け渡すと、赤いトリミングを施した、かすかに光る緑のテントのようだ［p. 74］。

［タウトの日本での住まい、群馬県高崎市達磨寺の洗心亭］

8.4 (土)

1934

［達磨寺の］住職の娘さんはとても親切で、毎朝掃除をして、上品な花を床の間に置いてくれる。［略］
私は床の上で眠ることにも慣れ、堅い寝床と枕を気に入っているが、エリカは毎朝、背中が痛いとこぼしている。日本式のしゃがむトイレは優れている。お寺の台所から運ばれる食べ物は野菜中心（たまに魚）だが、決して単調ではない。私は一日中キモノで過ごすことがあるし、何とかゲッタ［下駄］（足の裏につける木の竹馬）で出かけられるようになった［p.154 図41-42、p.155 図44-46］。

8.25（土）

1934

板鼻［群馬県］は千年を超える村であり、流れの速い小川に沿って牧歌的で美しい。いたる所でその小川がさざめき、ぱちゃぱちゃと音を立てている。ある農家では池に滝があり、池は居間の近くまで迫っているので、池があたかも住居の一部のようである。小川にはところどころに鯉の養殖場があり、勢いよく水が流れている。魚たちはとても元気だ。700年前の創建だという寺はみごとな建築である、農民家屋から発展したもので、梁にすばらしい彫刻があり、厳格でかつ力強い。

8.27（月）

1934

快晴。［達磨寺の］住職の娘のトシコサン［敏子］が近所を案内してくれた。ここの周囲はこれまで見たことのないほどはっきりした輪郭を示している。山々はこれまでになくすべてがはっきりとしており、火山アサマ［浅間山］は、遠方だが、その頂上まではっきりとしている。

10.31（水）

1934

渋谷駅にセントバーナードに似た大きな老犬［ハチ公］がいる。彼はそこでもう6年間も死んだ主人を待っている。人々は彼をやさしく撫でる。えさを与え、愛情深く彼を取り囲んでいるのだが、彼が吐くと、置き去りにしていく。しかし隣にはすでに、彼の記念像があるのだ（木の像を台座の上に置いている）。一方で人間は、生きていても死んだと宣告される、その作品、たとえば［私の］馬蹄形ジードルンクが名作とされても。

I.7 (月)

1935

達磨市が終った、まるで二日酔いのようだ—あまりの訪問者の多さで。くったくのない人々だがキリがない……。昨日の昼からさわぎが始まった。無数の達磨人形、露天の通路、菓子、酒。そして群衆がやってきた。少林山は［いつもは］静かだが、すべてが変わった。次々と人々の群れ、夜はランプが色鮮やかな達磨人形（強い赤）を照らし、まるで絵のようだ。夜は人混みのなかで、押し動かされるだけだ。

1.15 (火)

1935

井上［房一郎］が私たちを、フランスの言語学者フォール(Faure)氏と一緒に、山上の榛名湖［群馬県］へ。［略］湖面には約12センチの厚い氷。釣人たちはその氷に穴をあけて、小さな魚を1、2尾ずつ釣り上げていた。炭の入ったボール［火鉢］を足下に置いている— ロシア的な光景だ。

5.16（木）

1935

下呂［岐阜県］、第一印象は—退屈だ。［略］

水車、軒の出の深い屋根をもつ家々。退屈な駅（寺院まがいの屋根をつけたキオスク、ぞんざいに置かれた石）、どこにでもあるような思い出のキッチュさ。［略］

駅長に高山のホテルについてたずねたところ、助言をしてくれ、すべて手配してくれた。列車の旅はとても快適だ。木々に覆われた山々、屋根に石をのせた家々、どっしりとした山、スプーンのような水車がおもしろい。

5.21（火）

1935

新潟！［略］（「ビルディング」、俗悪な百貨店、なかに喫茶室があるのだが、「建築家」という職業は、新潟ではこれから発明されなければならない—片隅に置かれた男性用トイレはガラス板で簡単に仕切られ、その上部は開いている。このトイレにぴったりなこけおどしの油絵の大作は、喫茶室のために［壁の］上の方に斜めにかけられているが、どぎつい赤の背景に裸婦が描かれている）。［略］そこ［新潟］では乱雑な土地の様子があからさまにわかる。家と家との間が無節制に詰められており、間の空間はほとんどゼロ（せいぜい30センチ）、ひどい公道（！）、1.5メートルの幅だ。そこに家々の玄関があり、並んで便所がある

(ひどい悪臭だが、そこだけではなく、町全体がそうなのだ)。[略]
2時間半後に島に、恵比寿港だ。ぎゅうぎゅうに詰め込まれたバスで、1時間半後に相川。通りは穴ぼこだらけで、最悪交通路コンテストでは1等になれるかもしれない。われわれはもちろん通りなどを眺めただけだ。この長い通り全体が家々に囲まれているだけならば、確かにひどくおもしろみがなく非文化的に思われた。

5.25（土）
1935

この町［秋田］は全体がどこか文化的であり、ヨーロッパ的なもの、ハイカラなものももちろんある。しかしそれはつつしみ深く素朴で、ハイカラ精神にふさわしいものはまだ取り込まれていないし、幸運なことにモダン建築もまだだ。明治時代の建物がおもしろく、それは実際の様式のなかでも素朴である。もっとも興味深かったものは、両翼に開放的な玄関ホールのあるイギリスコロニアル様式の県庁であった。

2.6（木）

1936

[秋田]駅にはソリ付きのリキシャ[箱ゾリ]。町のなかには雪が高く積もり、冬晴れの大気。カナヤホテルで[私たちは]大注目だ。昨年5月のときと同じ若い女の使用人が、ちょうどお正月のための大きな髪形[日本髪]で、新聞を見せてくれた。その大きな新聞には県知事と追分の金持ちの男に対する非難が、私のために載っていたのだ（日本評論の記事のこと）。読者投稿にはその弁解が。

2.7（金）
1936

ここ（秋田）の人たちは感じがよい。上質な冬、その景色。背後にかすかに光る高い山。雪の中のたくさんのそり［pp. 86-87］。［略］

［横手］駅の前には「ソリ型人力車」（ハコゾリ＝箱型のソリ）、小さなのぞき窓のついたなかに座る。町のなかには、雪が1.5から2.5メートルも積もっている。つまり街路は、1階より上にあるのだ。時には［道路は］2階の高さになる［p. 14 図10］。道は狭くて滑りやすい。そこで手押しのソリや馬ゾリがある。［道路の］階段はその下の家に続いていて、行くのは大変だ。人々、特に女性は、ズボン（モンペ）をはいていて、熊のように見える。子供たちも！［略］

1時間半ほど眠る。それから夕食だが［昼より］さらにごちそうだ、その後町に出かける。そこはとりわけ美しく、

これまでに見たことも期待したこともないものだった。私たちの旅の真のクライマックス、カマクラ、それは子供用の雪の小屋である［p.14 図8］。［略］

静かな厳粛さ、雪のクリスマスのようだ。空にははっきりとした満月、凍った雪がきゅっきゅと鳴る。なんと美しいのだろう！［略］

私たちがある1軒をのぞくと、子供たちが私たちにとてもまじめに、サケかサケスープ［甘酒］の入った小さなカップを差し出す、そのときは彼らに1銭を与える。一ここに再びすばらしい日本があるが、すべての美しいものと同様に、書き表すことができない。

2.9（日）

1936

車で三吉神社の梵天祭りに行く。神社はかなり［秋田］郊外にある。小さな「ボンテン」を売る商人、それは色鮮やかな棒で、同じ形の大きなものを村人たちが持ってくる［奉納する］、とても色鮮やかだ（男根か？）。
ある村からやってきた人々は、他の村からの人々を待ち受け、そこで彼らは他の村からの人々と小競り合いをするのである。つまり、互いに阻み合い、より早く神社に行くためである。実際野性的で、少し恐ろしい感じだ。

2.10（月）

1936

秋田の良いところはその建築である。はっきりとした特徴のある家のタイプがまだたくさん残っており、プロポーションに優れ、たくましくそして木材はほとんどが黒である。時々すばらしい出入り口の扉があり、塀と同じように黒いのだが、雪の中ではとてもはっきりと見える［p.14 図9］。そこに樹木の黒も添えられている。昨晩の散歩は、良い授業のようだった。

美しいものが、この日本では冬をみごとに解決していたのだ。

タウトが遺した
写真アルバムの読み方

平木 收

旅人の視線

まずは少し写真というものについて、述べておきたい。なぜなら写真がどういうものなのかを顧慮してもらえる機会は、それが身近すぎるからか、つね日ごろはめったにないからである。

そもそも生な状態での写真というメディアは、他の視覚媒体よりも受け手の解釈が自由な媒体である。絵画のように描き手の個性が前面に突出することもなく、映画やテレビのように設定された時間軸を追いながら、見る側が物語に絡め取られることもない。またピクトグラムやサイン表示のように、きわめて限定的な意味に誘導されることもなく、写真は「これは何が写っているのだろう? そうか、分かった。あっ、これ見たことある。これ知っている…」などと見る人が自らの体験や知識に照らして受け止めることが可能な、きわめて任意性が高い視覚媒体ということができる。

というのも写真の画面を挟んで、写真を撮った人と見る人を結ぶのはひとえにリアリティー、つまりこの世の現実感である。そのリアリティーとは当然きわめて個人差に富むから、撮った人、すなわち送り手と、見る人である受け手は、写真画像の意味や意義をまったく異なった次元で納得しているという可能性がある。それにもかかわらず、写真に納められた現実の光景は誰が見てもそう見えるという、現実感の共有意識を喚起する。言い換えると、写真の画像はつねに客観性を担保している。写真の本質は記録性である、といった言い方や価値観は、その担保された客観性に由来する。

通常、写真の客観性を補強するために言語や数値による画像内容の特定が図られる。表題を付す、キャプションや解説を加える、データの添付といった行為である。そうした言語的、数量的な縛りをかけた写真画像は、撮影者やそれを提示するものが意図する内容を、見る側にぶれることなく伝えるのに、ある程度は効果的である。

すなわち、写真の客観性というのは、写真がもともと身につけている特質というよりは、言語や数値、記号等を併用することにより規定される活用の一側面とみなすべきだろう。

まずはこのことを確かめたうえで、ブルーノ・タウトの写真アルバムについての思いを巡らせることにしたい。

ブルーノ・タウトは日本に4冊の写真アルバムを遺していった。重量感のある黒い表紙に黒い台紙、それらに貼付されていた1400枚ほどの写真印画の画像を見ながら、彼の視線や写真の活用術に関して、考察するという機会を授かった。しかし筆者はタウトの研究者でもなければ建築文化論を専門にしている者でもないので、それら写真画像を介して何が読み取れ読み解けるかは、見当がつかない。もしも何かタウトの関心の対象や意識らしきものやこと、彼の価値観などが筆者にも把握できたとしたら、それは誰にでも分かるごく当たり前のことの域を出ないと思う。ただ、筆者の専門領域である写真史と写真論の視座から、アルバム写真の読み解きに役立つ若干の提案や意見を申し述べることは可能かもしれない。

ところでタウトのアルバムとはいっても、それらに納められたすべての写真がタウト自身の撮影によるものではない。彼が、自らの興味や関心に促され購入した写真、他者から提供を受けた写真も自ら撮影したものと同等に貼付されているようである［p. 21］。この件に関しては後述するが、画質やフォーマット（写真原板のサイズ）などから、明らかにタウト本人が撮影したであろう写真は、かなり特定ができる。タウト自身の撮影になる写真には、かなりはっきりした特徴があるということである。また、アルバムには滞日中の写真だけではなく、彼が極東の地日本にたどり着くまでに経由した、フランスのパリ市内やギリシャのアテネはアクロポリスの丘など、途上の写真も収められている。さらに中国大陸に渡ったときの写真も含まれている。

筆者は、酒井道夫先生の研究室でアルバム所収の写真全体をデジタル化した資料を閲覧する機会を得た。いわゆるデジタル・アーカイヴである。それをパーソナル・コンピュータで再生閲覧するのだが、生来、写真を見るのが好きな筆者は、正直なところこれが楽しい。なぜか。

それは写真を見ることが特に好きな人でなくても、タウトのアルバム写真は誰もが引き込まれるノスタルジックな魅力を秘めているからである。在りし日のタウトの旅に同道できるロマンティックな芳しさが、その魅力の正体だ。この種の思いは多少趣味的過ぎるかもしれないが、在りし日のタウトの旅情、どこそこでそれを見た、という彼の喜びの心境が、時空を超えていま見えているように感じられる。旅人の心というシンパシーを持って、軽い気持ちでアルバム写真を眺めているのは実に楽しい。しかし、いったん気持ちを切り替えて、それらの画像に籠められたタウト自身の思いや価値観といった内容への踏み込みは、けっこう難しい。

読み解きの資料としては写真の画像のみではなく、デジタル撮影された画像データの状態で、アルバムそのものの状態や台紙に残された書き込み、貼り付け方の様態などが分かる映画も同時に閲覧させてもらったのだが、やはり直に現物に当たらないで細部に踏み込むのは困難である。だが、もし現物に当たったとしてもドイツ語で綴られた書き込み解読に伴う語学的な問題や、筆記の癖を判読する必要などもあるから、それらを読み解き画像に籠められた意味の特定を貫徹するのは大変な労力になるだろう。ということでアルバムの全容を台紙に残された書き込みの解析とも照合しながら、写真画像を精査したわけでないことをお断りしておきたい。

しかし、そうした凝視と精査を旨とする見方ではない、また別の見方があることにふと気づいたことから、このアルバムの意義と可能性、利用価値に関して面白い発見があった。これはデジタル・アーカイヴ化された資料ならではのなせる業から不意に出てきた意外な「見え」なのだが、ここではそのことに関して語りたいと思う。

タウトのアルバムを何らかの義務や役割を担わないで見ているのは、前述のようにきわめて楽しい。しかしイコノグラフィー、すなわち画面からその意図された内容を解読しようと思い立ったとき、われわれにはある負荷がかかってくる。それは彼の著作によってわれわれが理解している、彼の思考や美意識などによる。いくつかの著作で語られているあの高邁な日本文化への尊敬や畏怖が、気楽に彼の写真アルバムを眺めていたときの自由さを押さえ込んでしまう。ほかならぬブルーノ・タウトのアルバム写真！ そこに収められた写真の1枚1枚にどのような思いが籠められているのか、これについてはそう軽々に語れない…、と遠慮や諦念が生じるのである。

深読みを半ばあきらめて、長時間にわたる閲覧中、あることに不意に気づいた。その圧迫感を回避するために1枚1枚の写真を凝視するのをやめて、高速であたかもコマ落としの映画のようにパソコン上で100枚の写真を連続再生していて、突然見えはじめた何事かがあったのである。それはタウトの視覚の、いわばゲシュタルトな特性とでもいうべきか、文学的に喩えると文章とその行間に籠められた意味の総合とでもいうか、そのような何かが見えはじめたのである。それは内包された意味に迫るという見方ではなく、外延的な意味、あるいは通俗的な感覚で受け止める印象を得るプロセスとして、一定の意義があるように思えはじめたのである。その意義というものを説明するために、写真史の文脈を辿ってみたい。

タウトのカメラと写真の歴史

ブルーノ・タウトが愛用したカメラがどのようなものであったか、まずは読み解きの糸口のひとつとしてこの点に触れておきたい。タウトが自ら撮影に用いていたカメラは、戦前の日本でもけっこう愛用者がいた通称「ヴェス単」、正式には“Vest Pocket KODAK”というカメラである。この「ヴェスト・ポケット・コダック」というカメラは、アメリカのジョージ・イーストマン社が1912年に発売し、1926年までの約15年間でなんと180万台も出荷された、黎明期の写真工業史上特筆すべき驚異的ベストセラーである。同社はすでに1880年代からアマチュア向けの軽便なカメラを数種類発売し、一般社会への写真の普及に大いに貢献してきたが、この「ヴェス単」はいくつかの点で画期的であった。まず、従来の単純な箱型のアマチュア仕様のカメラとは異なり、メカニカルなフォールド・タイプであること、レンズの性能が向上したこと、使用するロール・フィルムの交換や入手が比較的容易になったこと、などである。

このフォールド・タイプとは折りたたみ式のことで、ヴェス単はいわゆる蛇腹式で、スプリング・カメラと呼ばれることもある。レンズのついた蛇腹の部分をたたんでカメラのボディーに押し込めば、ヴェスト、すなわちチョッキのポケットに簡単に納まるところからこの名称が与えられている。

ちなみに、日本でこのカメラが人気を得たのには、若干特殊な事情が絡んでいる。ヴェス単にはメニスカスと呼ばれる凸レンズと凹レンズを貼り合わせて収差を補正したレンズが装着されていたが、このレンズには絞りを兼ねたフード（正しい発音はフッド）と呼ばれる日よけが取り付けてあった。レンズの解像力を向上させ、フレアと呼ばれる光の乱反射を軽減するためのフードである。しかし昭和初年の日本の写真愛好家はこのフードをあえて外して撮影を楽しんだ。その理由は、フードを外すことで柔らかな描写の写真が撮影できることが知られていたからである。明治年間の末から徐々に活発になってきた日本のアマチュア芸術写真の世界では、大正期に絵画的な趣をもった写真制作が人気を集め、写真ならではのシャープな描写の画像よりも、朦朧としたソフトな描写を愛好する向きが強かった。それがフード外しという、一種の裏技を生んだ理由である。フードを外すことで高級なソフトフォーカス専用レンズの「ヴェリト」を使用したような写真が撮れるというのが、当時の定説だった。そういった使われ方がされたヴェス単は、極論すれば日本においてはソフトフォーカス、言葉を変えるとピンボケ専用カメラということになる。それは昨今、若者の間で流行のロシア製トイ（玩具）カメラの「ホルガ」や「ロモ」と同じような存在と考えると分かりやすい。

ここで写真の歴史を少しひもといておこう。写真術は1839年にフランスのダゲールによって実用化の緒につき、時のフランス政府が発明に関する特許権を発明者たちから買い上げ、それを広く世界に公開した。このフランス政府の英断が功を奏して、写真術は瞬く間に世界的な規模で普及するが、初期の写真術では感光材料が手作りのため、撮影がうまくいくかどうかは勘や経験に頼る不安定なものだった。1880年代になって、オーストリアの科学者が光の量を測定する装置を考案し、それに基づいて写真の基本原理といえる光化学反応の定量化が達成され、写真術は科学的な裏づけをもつ新しい工業として成立する。この時点から産業革命には遅れたが、19世紀末から急激な発達をした新興工業国のドイツが写真機産業の新たな担い手として登場する。

いっぽう19世紀が幕を下ろそうとしていた1895年、フランスのリュミエール兄弟によって、映画の劇場公開が始まり、写真の画像は静止画のみではなく動画という時間を取り込んだ表現が実用化された。この映画の実用化が、静止画の写真に大きな影響力を及ぼすようになる。映画の大衆化によって、それを見た人々は静止画像に対しても時間意識に関連する想像力を抱きはじめたと考えていいだろう。

ヴェス単が発売され人気を博していたその時期には、同じような機能や形状のカメラが多く製造されたが、そんな最中にまったく新しいカメラが育まれつつあった。ドイツ南部の小さな町で顕微鏡などを製造していた精密光学機器メーカーの技師が、より迅速に連続して写真撮影が可能なカメラの開発に挑んでいたのである。その人物オスカー・バルナックは、劇場映画の制作用に工業生産されている長尺フィルムを、静止画像を撮影するカメラに用いることを思いついたのである。

1913年、バルナックは現在でもカメラの頂点として名高い「ライカ」の原型を作り上げたが、おりしも時代は第1次世界大戦へと暗転し、彼の会社エルンスト・ライツ社がこの新しいカメラの生産と販売を開始するのには10年余りを要した。ちょうどヴェス単の製造が打ち切られるころ、ようやくライカは市場に姿をあらわした。それは1925年のことだった。このライカの写真界参入は、従来の写真のあり方とはまったく異なる、視覚表現の新次元を次々に開いていった。かつてのカメラではピントグラスや目測で撮影対象にピントを合わせていたが、ライカでは工学的な距離計が使われるようになり、やがてそれはカメラに組み込まれる。フィルムの供給はノブを回すだけで一齣分のフィルムが送られると機械的にピタッと止まる。従来のロール・フィルムを使うカメラでは、ほとんどがカメラ背面の赤窓と呼ばれるフィルム枚数表示窓を見ながら慎重にフィルムを巻き上げなければならなかったのに比べて、迅速なカメラ操作で連続撮影ができる。それらの機能を生かすのが、撮影対象をしっかり把捉するファインダーである。撮影レンズの交換によって撮影画面の画角が選択できる。つまり、広角や望遠レンズが使える、など機能の魅力満載である。

1925年以降、写真の世界は、アクティヴに眼前の世界に分け入ることが可能な、きわめて高性能なカメラであるライカが参入することで、その表現上の可能性は大いに拡張されたのである。

再びタウトのアルバムを！

タウトのアルバムをどのように読むかという筋書きから大いに蛇行し、ライカの物語のようになったが、じつはこの蛇行は写真と時代精神といった観点を想定するなら、必要不可欠な蛇行、あるいは迂回である。つまり、ライカがより広く一般に使われるようになった1930年代初めから写真表現の世界に新たな要素が盛り込まれるようになり、それがあまねく写真の撮り手たちに影響を及ぼしたからである。

その最も顕著な変化というか、イノヴェーション（改革）といってもいい一面は、写真画像に撮影者の視線の意識が内包されるようになった点である。写真はその黎明期を担った人物たちの多くが画家からの転身組であったことも関連して、上手な写真とはすなわち作画構成が美的に安定しているもの、といった価値観が根付いていた。しかし世の中に映画が普及し、グラフ・ジャーナリズムも本格的な活況の時期を迎えた1930年代、写真表現にもよりリアルで能動的な要素が求められたのは当然だろう。それに応えたのがライカや二眼レフの高級機「ローライ」である。写真の表現は作画作法からダイナミズムを伴う躍動表現へと広がりを見せていったのであって、その最たる成果はフランスの写真家アンリ・カルティエ＝ブレッソンの業績に見ることができる。彼の写真には瞬間が写されているといった誤解があるが、じつは生な時間が内包されている（この件に関しては別の機会に論じたい）。

ブルーノ・タウトが携えてきたヴェス単は、じつはいささか時代遅れのカメラであったといえるだろう。しかし旅人タウトにとっては携行にも便利、4x6.5センチの画面サイズは引き伸ばさなくても楽しむことができる。むしろ大きく引き伸ばすと画質のアラが見えるから密着焼きのままがいいだろう。日本では市井のアマチュア芸術写真愛好家が好んでヴェス単を使っていたから、フィルムも入手しやすい。タウトが新しい高性能カメラ、ライカについての知識を持っていたのは当然だろう。だが彼の母国ドイツ製とはいっても、きわめて高額なライカやローライなどというカメラは、そう容易《たやす》く手にできるものではないし、彼の当時の立場を考えるとそのような経済的余裕はなかったはずだ。かくして、タウトはヴェス単とともに旅を続けざるを得なかったと見るべきだろう。

そのヴェス単を駆使して、タウトもまた時代のヴェクトルを取り込んだ撮影に挑んでいるのが、彼のアルバムから読み取れる。たとえば、茶席に招かれたおりの写真、タウトは構図を気にする以前に、亭主のお点前に視線を注ぎ、連続写真のように撮っている［p.106 図2-3］。果敢にもタウトはヴェス単の目測距離設定と、たんに撮影方向の見当をつけるだけの簡易ファインダーで、ライカ張りの視線主導型のカメラワークをやってみたのである。また、別の興味深い写真としては、こんなのもある。一見何がどう写っているのかが分からない屋内の写真。足が写っていてどうやら人影がもつれ合っている。よく見るとそれは柔道の技が決まった瞬間の写真だと分かる［図4］。そう理解するとその人の足がもつれ合う写真が、けっこういい写真に見えてくるから不思議だ。ただしこの写真は6x6判のカメラで撮られたようだ。

ほかにも、踊りの舞台［p.104 図1］、花見の風景［図5-6］、門の前の子供［図7］、子守［p.151 図34］などアクティヴな写真の時代を実践した果敢な写真が残されているのは面白い。

さて、ここまで述べてきたタウト滞日時の写真を取り巻く諸状況を勘案しつつ、前述のパソコンによる高速再生で見るタウト写真アルバムの解釈についての見解を示しておきたい。

タウトのアルバム写真をパソコン画像で高速で再生すると、まず見えてくるのは日本人の旅行ではこうしたダイジェスト的な旅はしないだろうと思わせる、外国人旅行者特有のきわめて行動範囲の広い景勝地や名所旧跡めぐりの痕跡である。そうした名所写真が骨格をなし、それにタウトの個人的なまなざしを示す写真が絡みついてくる。景勝地などの写真は購入したものや他者が撮影したものなど、写りのいい写真がかなり含まれるが、他方パーソナルなまなざしを感じさせる画像の質はさほどよくない。だが正直言ってヴェス単写真としては上等である。だから画質や画面構成といったものを気にしないで、タウトの視線の痕跡と決め込んでそれらを見てゆくと、彼が自らはただの観光客ではなく、建築や生活様式の美学を探求する、探究者である自覚と専門家としての見識を示そうとする態度が見えてくる。彼の視線を意識的に追うことで着眼点を見出せるわけで、これは彼が残したテクストを読むうえに、いわば行間情報のような補完的情報となりうるのではないだろうか。

われわれは写真の画像を見るときにそこに描写されているものの形状や属性に、ついつい目を奪われる。そしてその画像に内包されている意味を穿鑿《せんさく》しようとする。だが発想を転換し、撮影者の視線という概念にこだわって写真を見ることで、撮影者が自らの視線を示しながら他者に何らかの価値観を伝えようとしている、と考えてみよう。画像に託された外延的な意味とでも言おうか、これに気づくことは重要だ。

現時点においてはタウト・アルバムの読み方としてお勧めしたいのは、彼の滞日時の心境を、その視線から読むということ。つまりタウトの日本滞在のゲシュタルトをそこに読み、彼のテクストに命を与えることに資すればいいと考える。

2

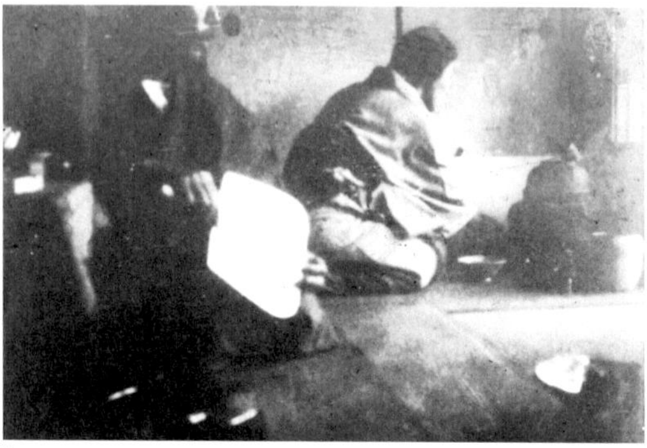

3

4

1. p.104掲載。1933年5月27日[p. 35]、花柳壽美の舞踏学校にて。
2. 1933年夏、東京か。団扇を手にした男の姿から察するに、形式張った茶会ではなく、どこかの家庭でのお点前にも見える。
3. 同上。
4. 1933年夏、京都。アルバムの同じ頁はほとんどが金閣寺の写真。柔道の写真はこの1枚のみ。

5

6

7

5. 1934年4月17日[p.70]、京都・宇治川近く。
6. 同上。
7. 1933年春、来日して間もなく。京都。

戦前昭和ヴィジュアル時代の
『ニッポン』

酒井 道夫

ヴィジュアルの時代

ブルーノ・タウトは滞日した3年余の間に、東京、京都をはじめ、日本各地を精力的に訪ね歩いた。彼の眼に映った各地の光景は、今になってみると極めて貴重な記録であったことが分かる。その当時の日本人の暮らしの一瞬一瞬を4冊のアルバムに仕立てて残した約1400カットのうちの一部分を紹介するのが本書企画の主軸であるが、主としてアルバムの第1冊目から多数のカットが、昭和9年に刊行された『ニッポン』(註1)には採用されていた。

ところで、時代が第2次大戦へとなだれ込んでいくその直前まで、日本の出版状況は活況を呈していた。この趨勢下で忘れたくないのは、多くの出版物に図版や写真をふんだんに取り込むことが普通に定着しはじめていたことである。写真製版技術の成熟と印刷精度の向上がそれを大いに助ける流れになっていたのだ。戦況が深刻になって民間への出版統制が厳しくなっていった後にも、国策的に『NIPPON』や『FRONT』を刊行しつづけた日本工房や東方社による出版活動が、現在の評価眼から見ても目を見張るものであることから、近年とみに注目されている。しかし一方で、民間の出版活動が一気に切迫するのは、昭和13年4月の国家総動員法公布以降のことだろうか。タウトの『ニッポン』も第4刷までのつくりは、今日の目から見てもうらやましい豪華な造本がほどこされているのだが、それ以降になると一挙にみすぼらしいつくりになってしまう。

『ニッポン』が出版された昭和9年に先行して、昭和6年には朝日新聞社刊行の叢書『明治大正史』(註2)の第4巻として「世相篇」が柳田國男の執筆で著された例をここにあげておこう。この本は現在、講談社学術文庫と、ちくま文庫で入手できるが、もちろんこの他各種柳田國男全集にもかならず採録される重要文献である。ところでこの書物はかつての朝日新聞社による叢書とは無関係に、たいていは『明治大正史・世相篇』と題されて、当初から独立に書き下ろされた書物のように扱われている（解説等をきっちりと読めば、その由来を知ることができるが）。

それはさておき、この本に挿入された図版がもともとは重要な役割を担っていたのである。点数は少ないが写真8葉、すごく凝った合成写真［図1］までが掲載されていて、これが柳田自身の発案になるものなのか、あるいは叢書編集者の強い意向が働いた結果なのか不明だとはいえ、記事内容と密接にからみあって掲載されているのは疑いない。一般的に、全集、著作集、文庫等に再編集され、その本文が収録される際、とかく写真や図版が削除される傾向にあるのだが、このことについて、ちくま文庫版の佐藤健二氏による解説では、これでは当初の「視覚的合成（もしくは編集）の固有の意義」が失われる、としている（註3）。実際、図版が削除された後に残された柳田の流麗な文体につられて読み過ごしてしまうと、かつてその部分で写真図版が大きな役割を担っていたことなどまったく気付かない。

もう一例にあげるならば、安藤更生著『銀座細見』も中公文庫に収録された（昭和52年）。この本の初版は昭和6年2月に春陽堂から刊行され、当初は20余枚の「尖端的」な写真が掲載されていた。しかし、文庫版ではその一切が削除されてしまっている。情緒たっぷりの文章家のそれだけにこれらの写真が失われていてもまったく不自然を感じさせないが、そのことが却って当初の表現意図を全く気付かぬままに読み過ごしてしまう。

安藤は、かつて高級住宅雑誌『住宅』（註4）の編集長として鳴らし、銀座を闊歩していたモボだったと聞く。彼は学問に目覚めて会津八一に師事したが、銀座への未練がなかなか断ち切れず、ぐずぐずしているうちに会津の逆鱗に触れて破門となった。そこで安藤輝正を改名して安藤更生に改め、この本の刊行を果たして銀座への決別の意を固めようとした。ところがこの書は巷の評判を呼んでしまって、会津の目にとまるところとなり二重に破門を喫するところとなったと、かつて誰かから面白おかしく聞かされたことがある。謹厳な会津八一が、同書挿入の銀座風俗［図2］を前に苦虫を噛みつぶす体で腕組みしている場面を想像するとつい笑ってしまう。写真を失ったテキストからだけでは、これは到底想像できない場面である。

このような例をあげれば枚挙にいとまがないのではなかろうか。戦前昭和はギリギリまでビジュアルの時代だったのである。文学でいえば、例えば川端康成の『浅草紅団』（昭和5年）は、太田三郎による挿絵の存在抜きに語られるべき作品ではないはずだが、いまや文学の最高峰に位置する作家の「純文学作品」に対して、挿絵云々を持ち出すのはタブーですらあるのだろうか。

いわば視覚の時代の幕開けに同期して、初版『ニッポン』は刊行されたわけだ。そして一気に注目の書の位置を獲得した後には、数奇な変容にさらされはじめる。

原案『ニッポン』の図版リスト

ところで『ニッポン』の元原稿を点検する機会を得た際に、その巻末に添付された図版リストがあることを知った。初版に収録された図版は235点なのだが、このリストでは当初タウトが353点の図版掲載を提案していたことが分かる。著者の意図がどのあたりにあったのか、残されたアルバム4冊のうちの第1冊目にそれは集中して採られているので、実現しなかった「原案『ニッポン』」をこの機会に復元してみた。何かの事情で失われた写真も多いが、ある程度は初期の構想をいくらか想像してみることが可能だ。

巻頭に置くつもりだった図版のキャプションは「桂と東京の新しい建築群、スケッチを見よ！ 文章なし」とあるが、残念ながらこれに該当する図版をアルバムから見付けることはできない。「東京の新建築」として掲載されたコラージュ写真［図3］

1

2

3

4

1. 「思ひおもひの交通」、『明治大正史第4巻・世相篇』朝日新聞社、1930年より
2. 「銀座ごよみ」、安藤更生『銀座細見』春陽堂、1931年より
3. 「東京の新建築」、ブルーノ・タウト『ニッポン』明治書房、1934年より
4. 天草丸『北日本汽船株式会社二十五年史』1939年より

を何らかの形で桂離宮と組み合わせたかったのかとも思うが、いくらなんでもそれは恐れ多いということで出版社側に拒否されたと想像できるが（今ならさらにヤバそ）、これは想像の域をでない。

次に配しているのが、彼がエリカ・ヴィッティヒをともなって大陸伝いに日本海沿岸に到達、ロシアのウラジオストックから乗船した天草丸［図4］を載せようとしたらしいが、残されたアルバム等にはこれに該当する写真が見当たらない。ただ、今ではネット検索でその船影を知ることができる。なかなかな船歴を有する商船のようだ。

で、次が「福の神」。これに該当する写真がアルバムに貼ってある。何とこれが福助足袋の看板写真［図5］。そして「幸運の象徴の鳩」「屋根瓦の鳩」と続くのだが、前者は「鳩八つはし」の看板［p. 41］。後者はどこで見つけたのか、まさに文字通りの瓦焼きの鳩である［図6］。はるばる西洋から日本を訪れるものにとって、端的に興味深いのはアニミズムであることは今日でも変わらない。もともとの『ニッポン』は極めて正直で無邪気なニッポン見聞記として構想されたと考えていいだろう。タウトだって普通の旅行者だったのだ。

その後にやっと「アテン　アクロポリス」が掲げられ、ここから後の写真配列は実際に刊行された初版『ニッポン』とさほど大きな違いはない。だが彼が提出したリストのなかには到底本に掲載できないような不出来な写真が何枚もあがっている。アルバム上でそれが確認できるが、それらは何が写っているのかも判然としないほど不鮮明であったり、あまりにひどいピンボケ写真が相当数含まれているのである。担当編集者の困惑顔が目に浮かぶ。巨匠建築家であるドイツ人の言いなりに初版『ニッポン』は刊行されたという想定で、私はかつて一文を記したことがあるが、これをある程度訂正しなくてはならない（註5）。編集者の大変なご苦労があったのである。

にもかかわらず、老若男女の群れ集う様、商業地域の活写、紙芝居など、残念な没写真がすくなからずあるので、ここで御紹介しておきたい［図5-14］。

時代の緊迫から写真の減少へ

その後も順調に版を重ねつつあった『ニッポン』は、戦時下の厳しい出版事情に遭遇して写真量が激減した。しかもタウト自身によって撮影された写真、つまり「タウトの眼」はことごとく排除され、ついには著者の意図と無関係な写真すら挿入されるに至り、この編集方針は戦後の文庫版『ニッポン』（講談社学術文庫）にも踏襲されている（註1）。

その経過をおおざっぱに示すと、昭和9年5月の初版時に235点が掲載された写真および図版は、第3刷（昭和10年6月）で一挙に65枚を減らして、170点となった。当初は平居均訳だったものが、昭和16年5月には森儁郎訳に変更したが、この際に図版がさらに削減され、総数58点となる。これを私は仮に「戦時版」と言うのだが、図版構成から見る限り、この時点で初版とは別の書物になった。終戦直後の昭和22年10月に刊行されたいわゆる「戦後版」ではついに図版が9点まで減少する（註1）。

ちなみに戦後の昭和25年8月になると、あらためて春秋社版が篠田英雄訳で刊行されるが、これには34点（うち、解説ページには彼の初期作品2点が紹介されているが、タウトはあえてこの2作を初版に掲載しなかった）が掲載され、図版数としては回復傾向だが、ここでは新たに伊勢神宮の写真が加えられるなど、編集企図は当初の意図と別の方向に向かっている。平成3年12月には、森儁郎訳が講談社学術文庫に収められるにいたるが、図版18点となり、いわゆる「タウトの眼」とはかけ離れた印象になっている（註6）。

5

6

7

図5から図14はタウト来日直後1933年5月から夏にかけて撮影され、惜しくも初版『ニッポン―ヨーロッパ人の眼で見た』(明治書房、1934年)には掲載されなかった写真群。

5. タウトが「福の神」と信じていた福助足袋の看板。
6. 東京。屋根瓦の鳩も幸運の象徴?
7. タウトが日本で撮った初めての写真か? 京都の町並み。p.19の左上がこの写真。

8

9

10

8. 日記にも登場する清水寺の「水を浴びる祈祷者」[p.30]。タウトは自筆の図版リストに「冷たい光線の下で」と書いている。
9. アドバルーン、東京。日記では1933年5月19日に記載がある[p. 31]。
10. ミス・ハナヤギを一緒に訪れた山脇道子さん(右)[p. 35]。

11

12

13

11. 大阪、四天王寺。タウトの図版リストでは「大阪の迷信的な婦人：ハンマー叩き（?）」となっている。[p. 48]。
12. 横浜。「中国風の茶屋」とタウトは図版リストに書いているが、どこが中国風なのか…。
13. 東京。銀座パレス、石本喜久治設計（1932年）[p. 37]。
14. p.120掲載。東京の紙芝居（p.144の子供たちと思われる）。

さらにここで特記しておきたいのは、タウトの事績をあまねく人口に膾炙した最大級の刊行物、篠田英雄による『日本美の再発見』（岩波新書 昭和14年6月）について。これまでに30余万部を売り上げたロング・セラーだが、そのうち20余万部は戦後の刊行になるようだ。昭和37年に増補改訂版となり、現在は51刷目を書店の棚で見つけることができる。タウトブームは、戦後になってこそより膨張したことのこれは大きな傍証であろう。

この書の成立について、これまでいろいろな憶測がなされて、その最大のものは、文章の選択配列にあたって編者篠田英雄氏によるかなり恣意的な操作がなされたというものだった。かくいう私もそのような言説に与しがちだったのだが、慎重に調べてみるとそうでもない事情が明らかになった。恣意的な操作など介入のしようがない刊行経緯があったのである。かつて下した推論（註7）は、その後岩波書店で保管されている一群のタウト資料を調査するに当たり、篠田氏自身による同書の原稿スクラップノートの存在を発見し、それがほぼ裏付けられた格好になった。この新書の場合、初版と戦後の増補改訂版との間の大きな相違点は、後者に詳細な注記を加えたことだろう。これがタウトの知日ぶりを一層印象づけることに寄与していると思われる。

いろいろ申し上げたが、その最晩年にいたるまで日本語によるタウト文献の決定版形成に尽力された篠田英雄氏の功績は大きいのだが、その一方で、いわゆる「タウトの眼」が薄らぐ結果になったのは、ひとえに氏の責任だけに帰す問題ではなくて、一般的に出版資料の価値をテキストに偏重して扱う風潮が、戦中の厳しい印刷事情という暗いトンネルを潜る間に助長された結果であるともいえよう。「タウトの眼」に限らず、昭和戦前の尖端メディアに眼を見開けば、まだまだ忘れられていた新鮮な光景がさまざま展開されるはずである。

註1 — ブルーノ・タウト『ニッポン — ヨーロッパ人の眼で見た』平居均訳、明治書房（本稿では『ニッポン』と省略）、初版1934（昭和9）年5月、2刷1934（昭和9）年10月、3刷1935（昭和10）年6月、4刷1936（昭和11）年7月。1941（昭和16）年5月以降は、訳者が森儁郎に替わり、巻末に「エリカタウト」のあとがき「追憶」が加えられ、戦後まで版を重ねるが、この間、奥付の記載に誤りや重複等があり、書誌決定が困難。1947（昭和22）年10月に明治書房より、ひとまわり小さな判型で刊行された「戦後版」があるが、第何版に当たるのかの記載もなく、詳細は不明。1950（昭和25）年8月以降は、春秋社版が篠田英雄訳で刊行開始。1991（平成3）年12月には講談社学術文庫版が刊行されるが、ここでは森儁郎訳が採用されて今日まで版を重ねている。

註2 —『明治大正史』朝日新聞社、1930-31（昭和5-6）年。第1巻 言論篇（美土路昌一編著）、第2巻 外交篇（永井萬助編著）、第3巻 経済篇（牧野輝智編著）、第4巻 世相篇（柳田國男編著）、第5巻 藝術篇（土岐善麿編著）、第6巻 政治篇（野村秀雄編著）

註3 — 佐藤健二「解説」、『柳田國男全集26』ちくま文庫、1990年

註4 — 雑誌『住宅』住宅改良会（あめりか屋）、1916-1943（大正5-昭和18）年

註5 — 酒井道夫「ブルーノ・タウト著『ニッポン』の出版企図の変遷について」、『武蔵野美術大学研究紀要16号』1986年

註6 — 例えば、伊勢神宮および日光東照宮陽明門等の写真掲載はこれが初。ちなみに『日本美の再発見』にこの両者が掲載されるようになったのも、第19刷（増補改訂版）以降である。

註7— 酒井道夫「『日本美の再発見』を再発見する」、『編集研究』武蔵野美術大学出版局、2002年

タウトが見た
もうひとつのニッポン

沢 良子

桂離宮とタウト

ブルーノ・タウトの名前は、伊勢神宮や桂離宮など、日本の伝統的な建築が紹介されるときには、必ずといって良いほど、さまざまな形で引用されている。特に桂離宮については、次に取りあげる例のように、特別な結びつきを持って語られることが常である。

> (前略) ブルーノ・タウトが、其の著「日本建築の世界的奇蹟」(タウト全集第一巻、「桂離宮」所収、篠田英雄氏訳) に於いて、
>
> > 日本建築の神髄を把握しようとするならば、まづ京都近傍の桂村に赴かねばならぬ。(中略) 桂離宮は、施工のみならずその精神から見て最も日本的な建築であり、従つてまた伊勢神宮の伝統を相承するものである。(中略)
>
> 等々と最大級の不朽の価値を簡潔に且つ遺憾なく表明したものであつて、上述した小見の足らざるところを補つて余りあるものであらう。
>
> 澤島英太郎『桂御山荘』龍吟社 1944年 (pp. 8-9)

> 現在の桂離宮は (中略) かのブルーノ・タウトが絶讃した、真に日本的なるもののうち最もすぐれた、美しきものであるといふことに、何人も異論がない。真にわが国住宅建築の最高峰と称せられるものである。
>
> 高桑義生『桂離宮』推古書院 1949年 (p. 3)

このふたつの引用に共通する特徴は、世界的に著名な建築家タウトが高い評価を与えた事実を示すことによって、桂離宮の価値を補強する構造を持っていることである。

近年では桂離宮の価値の補強という構造はほとんどないが、「タウト＝桂離宮＝日本美の発見」という結びつきは、次の例

に見るように、揺るぎなく存在している。

> タウトは運命的な出来事を体験する。「泣きたくなるほど美しい。」これが有名な桂離宮の「美の発見」劇の第一声である。（中略）二度目の訪問の印象を彼は「日本は眼に美しい国である」と締めくくったことが、桂離宮を「日本の美のシンボル」といわしめるようになったゆえんである。
>
> 宮元健次『月と日本建築　桂離宮から月を観る』光文社 2003年（pp. 3-4）

桂離宮について述べるときに、タウトの言説を引用するこのような例は、タウトがその言説を発表した昭和9（1934）年から現代に至るまで、枚挙にいとまがない（註1）。このほかタウトの言説は、伊勢神宮、飛騨高山の合掌造りのような民家など、日本の伝統的な建築を説明する場合にも同様の引用が認められる。

つまりタウトは、日本の伝統的な美を語ろうとするときに、必ず引き合いに出される代表的な外国人のひとりということになる。なぜタウトは、桂離宮を語るときにかくも引き合いに出されてきたのか。この問題については、たとえば井上章一『つくられた桂離宮神話』（弘文堂 1986年）のように、これまでにいくつかの論考が行われているが、ここでは「タウト＝日本美の発見」というイメージについてだけ注目し、そのイメージの陰に隠れたタウトと日本の関わりについて、アルバム写真を手がかりとして考えてみたい。

「日本美の発見者」タウト

タウトの日記、昭和10（1935）年11月4日には「タウト＝日本美の発見」という構図につながる興味深い次のような記述が見られる（註2）。

［最近のコルビュジエの建築傾向などについて、さまざまな関係から考えてみたいが］しかし、その前に別の課題がある。出版社が話にのるならば、Katsuraが優先である。私こそがいわばその発見者なのだ。

Aber es erhebt sich in zwischen schon eine andere Aufgabe. Wenn der Verlag anbeisst, geht sic vor: Katsura. Hier bin ich quasi sein Entdecker.

直訳するといささか意味不明な内容であるが、タウトがここで「その発見者 Entdecker」と記しているものは桂離宮である。タウトの原稿が出版の運びになればという件は、時期的に見て *Houses and People of Japan*（註3）のことと考えられ、Katsuraとは同書の最終第7章「永続するもの」（Das Bleibende、邦訳「永遠なるもの」）のことを示すものと思われる。

このときのタウトは、自らが桂離宮の発見者であると得意気ではあるが、むろんその建物の存在を発見したという意味での記述ではないだろう。日本の建築家たちがこれまでに気づきながらも表現し得なかった桂離宮評価を、前年昭和9年に出版した『ニッポン―ヨーロッパ人の眼で見た』（平居均訳、明治書房、以下『ニッポン』と省略）に披瀝し、多くの建築家から賞賛を得て支持されたことをもって、くったくなく桂離宮の発見者と自負しているように思われる。無論昭和10年のこの時点で、タウトが桂離宮の発見者であることや、日本美の発見者であるという形容の仕方は、一般化してはいない。

もともと『ニッポン』は、タウトが来日した昭和8（1933）年5月3日からその月末までの、およそ1カ月にも満たない見聞をもとに、6月から7月にかけて短期間に執筆された本であった。その手稿を見ると、当初の計画では、以下の6章だての構成であったことがわかる。

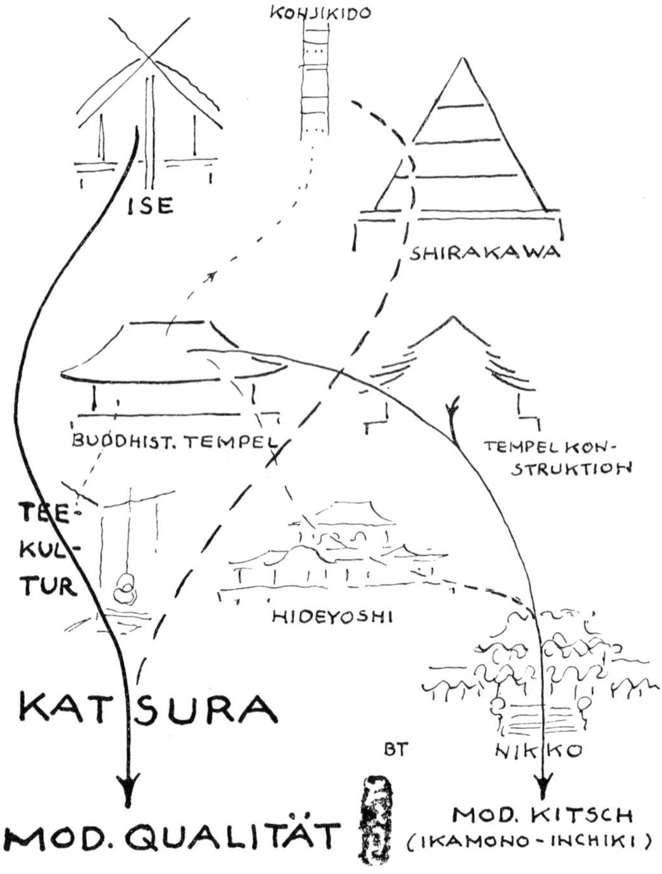

「天皇芸術と将軍芸術」
Fundamentals of Japanese Architecture
ブルーノ・タウト講演録(英文)、
国際文化振興会、1936年より

序文　Vorwort
第1章　敦賀　Tsuruga
第2章　桂離宮　Katsura
第3章　天皇と将軍　Tenno und Shogun
第4章　生きた伝統　Die lebendige Tradition
第5章　ニューヨークへ？　Richtung New York?
第6章　いや一桂離宮を経て！　Nein-via Katsura!

『ニッポン』は昭和8年のうちに出版される予定であったが、諸般の事情からか出版が先延ばしになり、その間の10月1日に伊勢神宮を参拝したタウトは、「本来ならば桂離宮の前に見るべきであった。」として、すでに脱稿していた原稿の「桂離宮」の前に、第2章として「伊勢」を新たに追加したものと思われる。

この経緯は、エリカの筆跡で清書された手稿の間に、タウトの筆跡による「伊勢」の原稿が貼り付けられ、そのために、本来2章目であった「桂離宮」は3章とされ、以下順次番号がふり直されている手稿からも推察される。タウトは自らが付け加えた「伊勢」の冒頭において、伊勢は「日本の全く独自の文化の鍵」と述べた。この「伊勢」の章を追加したことが、タウト自身は想像もしなかった『ニッポン』のある構図を補強する結果をもたらすことになったと考えられる。

その構図とは、「天皇と将軍」のなかで示された「天皇芸術と将軍芸術」［p. 128］であり、タウトは日本の造形芸術の流れをドイツ風な二元論の図式をもって神道と仏教との反立と理解したのである。「天皇芸術」の系譜は伊勢神宮と桂離宮とに代表され、「将軍芸術」の系譜は日光東照宮に代表されたのだが、明快なこの図式が時代の風潮のなかでひとり歩きをしていく。

なぜならば、タウトが滞在した昭和8年から昭和11年の日本は、昭和6(1931)年の満州事変から国際連盟を脱退し、昭和12(1937)年の日中戦争を目前として第2次大戦へと突入してゆく直前の時代であったからである。『ニッポン』は出版された3カ月後の昭和9年8月には、日本図書館協会（旧文部省所属）の推薦図書に選定され、著名なドイツの建築家による日本の伝統文化、特に桂離宮と伊勢神宮への讃辞は、皇国史観と容易に結びつく要素を内包していた。

しかし『ニッポン』の成り立ちにもどり考えるならば、短期間の見聞をもとにした旅行記であり、日記に記されているように、桂離宮の「発見」はタウトの他愛のない自負に過ぎない。建築家であったタウトが、ヨーロッパのジャポニスムを通して若い頃から日本の伝統的な建築や芸術に興味を抱き、来日によって現実のものとなったそれらとの接触に、深い関心を示したことは自然の流れととらえられよう。またタウトにとっては、日本での見聞すべてが「発見」であったことも当然のことと考えられる。

そのことを裏付けるかのように、アルバムIからIIの途中までの729枚、つまり4冊のアルバム写真のおよそ半数は、来日直後から、その年の12月までの8カ月に撮影されたものだ。後に詳述するが、そのほとんどは、日本人の生活ぶりに関わるものである。そのようなタウトの、ある意味では気楽な立場とは無縁のところで、いつしかタウトは「日本美の発見者」と形容されるようになる。それはまさに、日本の時代の趨勢のなかからイメージとして立ち現れてきたものであった。

はじめに取りあげた例に見るように、タウトの言説は、優秀なる日本文化の護符として、国威発揚の文脈に絡め取られていく。「日本美の発見者」タウトは、戦前昭和史のなかで象徴的に誕生し、そして現在も生き続けるタウトと日本の関わりから生まれたイメージなのである。

もうひとつのニッポン

タウトの著作や日記を精読していくならば、タウトの見たものが桂離宮や伊勢神宮だけではなかったことが浮かびあがってくる。タウトは、躍動する好奇心を持って、伝統的な美とは対極にあるかのような同時代の日本の生活も記述し続けていた。「日本美の発見者」という形容と対比させるならば、そこにもうひとりのタウトともいうべき存在がみえてくる。

タウトはドイツ時代からこまめに日記を物する人であり、自ら「建築家の休暇」と称した日本では、祖国に残した家族や友人に宛て、近況を知らせる手紙のために行く先々でメモを取り、それを詳細な日記として書き続けていた。そこには昭和初期の日本に生活した外国人の「時代の証言」や、日本での見聞が生き生きと綴られているのであるが、この点についてはこれまでほとんど注目されることがなく、また検証されるにも至っていない(註4)。

それも無理のないことで、たとえば桂離宮や伊勢神宮など著名な建築物については、第三者が撮影した写真図版によって補足したとしても、タウトの記述を理解するにあたり、さほど大きな違いは生じない。建築の状態が現在でもほとんど変化していないからである。しかし、花見をする人々の様子や、当時の子供たちについての印象などについては、タウトが何を見てそのように記したのかを具体的に示す資料がなければ、タウトがそこで何をいおうとしたのかは歴然としない。つまりタウトが日本人の日常生活を記述した部分については、検証のすべがなかったのである。時に断片的なことばだけが連なる日記の記述は、そのことばが喚起された何らかのタウトの記憶があったことを推測させる。たとえば「子供たちの色とりどりのきものKinder in bunten Kimonos」という日記の短い記述と、タウトが撮影した写真を照合することによって、どのような場所で、どのような子供のどのようなきものにタウトの意識が注がれ、そのようなことばが記されたのかを初めて理解できるのである。

タウトが残した4冊のアルバムには、さりげなく見逃しがちな日記の記述を裏付ける、タウトの眼の記憶がしっかりと焼き付けられている。ただしその多くが不鮮明なまなざし、つまりピンボケ写真である（本書、平木氏の解説によれば、カメラの性能上の問題もあったようだ）。アルバム全体には1422枚の写真が残され、被写体をおおよそ分けてみると、次のようになる（明らかにタウト以外の人物が撮影した写真も含まれており、その写真については以下からは省いている）。

風俗・風習・生活	39%
新旧民家（一般住宅、合掌造りなど）	15%
歴史的建築（桂離宮、法隆寺など）	14%
自然の風景	13%
同時代の新しい建築	5%
ポートレート	5%
町並み	4%
その他	5%
（何を写そうとしたのか、被写体の判別がつかないもの）	

写真の分類を変えたとしても、タウトのまなざしが、圧倒的に同時代のさまざまな日本の生活に注がれていた状況には変わりがない。民家、町並みの写真は、建築的興味であるのと同時に、日本の民俗文化への関心と重なり合うようにも思われる。そうであるならば、日本でのタウトのまなざしは、ほぼ3分の2が、日本という異国の同時代の生活文化に向けられていたことになる。

この見聞の成果は、日本での生活の終盤にまとめられ、離日後に*Houses and People of Japan*（註3）として出版された。ここには、タウトが強い関心を示した日本式の「おんぶ」や「職人」の仕事ぶりなど、日常の記述に関連する写真図版も収められているのであるが、タウトが撮影したのではない写真、つまりピンぼけではないプロの写真も使われていることが明らかになった。タウトがイスタンブールへと旅だった後に編集作業が行われたため、写真に関してタウトがどこまで関わったのか現在のところ定かではない。出版物として、ピンぼけ写真が許されなかった事情もあろうが、その結果、タウトの生き生きとしたカメラアイの多くが失われたことには間違いない。失われたタウトのまなざしは、その後今日までアルバムのなかで眠り続けたのである。

タウトが撮影した写真は、異国での体験の当然の結果として、さまざまなものへの反応を示している。その写真に、日記や言説を重ね合わせたとき、タウトが昭和初期の日本に見たものが断片的に浮かび上がり、欠落していた「ニッポン」の全体がおぼろげに形成されていった。さらに、アルバムの写真が断片的であるにもかかわらず、形成された全体は不思議な調子が貫かれている。決して良いアングルとはいえない桂離宮の写真、子供をおんぶする女、スラムの子供たちなど、そこには、タウトのまなざしがとらえようとした何かが、通奏低音のように響いているように思われるのである。

それが何であるのか、結論を先に述べるならば、タウトのまなざしが繰り返し引きつけられたものは、人々の生活のなかで持続し継続する、深く重いエネルギーではなかったろうか。

この推論の原点は無論タウトがカメラを向けた被写体そのものにある。しかしタウトが日本での生活の始まりと終わりに書いた2冊の本の、そのいずれもの最終章にあてられた桂離宮へも、同じまなざしが向けられていた可能性を考えるならば、そこに「日本美の発見者」とは異なる、もうひとりのタウトの姿が見えてくる。

タウトのまなざし—その先に

タウトにとって桂離宮は、確かに日本を語るための特別な存在であった。すでに述べたように、日本での最初の著書『ニッポン』は、「否—桂離宮を経て!」と題した最終章でしめくくられている。またそのおよそ2年後に、自らが発見者であると自負しながら書き進めた*Houses and People of Japan*の最終章で、「永続するもの」と題されているのは桂離宮である。

「否—桂離宮を経て!」においてタウトは、パルテノン神殿と桂離宮とを比較して、パルテノン神殿の機能は現代の生活にはもはや生きてはいないが、桂離宮に認められる建築空間と人間の生活との関係は、日本の生活に実際に生き続けており、日本はいたずらに西洋文化の模倣に走ることなく、桂離宮に象徴される建築文化と生活文化を未来へと継続させなければならない、と述べている。

「永続するもの」にもほぼ同じ内容が貫かれており、タウトが桂離宮を通して強調しようとした点は、建築と人間との古来からの関係が今も「生き続けていること」の価値にあった。生き続け持続しているものであるからこそ、タウトは桂離宮を日本建築のひとつの尺度として繰り返し取り上げたと考えられる。

日記や言説にも示されているように、タウトは日本の新しい建築、特に稚拙な模倣に堕ちたインターナショナルスタイル建築には、ほとんど関心を示さなかった。そのような建築に出会ったとき、タウトはなぜ日本人は自国の建築文化に目を向けず、いたずらに目新しい先進のものを求めたがるのかと厳しい批判を加えた。建築だけではなく、工芸品や衣服などの日常についても、中身がなく形だけに追従したものについては、「Kitschキッチュ、まがいもの」として退けたのである。写真に残されたわずかな新しい建築は、吉田鉄郎の「東京中央郵便局」[p. 147 図22]や村野藤吾の「森五ビル」[p.146 図19]など、新しい建築様式であっても、タウトが日本の造形的特徴を感じた作品として高い評価を与え、レンズを向けたものであることが日記の記述からうかがわれる［p.31、p.51］。

日本の一般的建築空間がもつ融通性や生活習慣の原典ともいうべき建築、受け継がれるべきプロトタイプ、それが桂離宮に象徴されるとタウトは感じ取ったのであろう。確かにタウトは桂離宮の美しさも讃えている。しかしそのこと以上にタウトの眼は、過去から現在まで、時間を超越して存在し続ける建築の要素、さらに現在から未来へと、生活のなかで継承されるべきものの手本、持続するもの、脈々とつながるものにより強く注がれていたことが浮かび上がる。

ただそれはタウトが、日本でのみ持ち得た視点ではない。1920年代、タウトはドイツにあって、色鮮やかに彩色された「色彩計画」を訴え実践した［p.10 図1-3］。それは、白い箱形のインターナショナルスタイル建築の興隆に対して、むしろヨーロッパ各地の住宅建築に脈々と受け継がれてきた、伝統の復活と継承を強く訴えることを中心とした生活改善運動であった。また1930年代にモスクワを訪れたタウトは、新しい社会主義国家体制にあっても、民俗の固有性を内包した新しい建築が実現されていることに、大きな期待を寄せていた。さらに終焉の地トルコ共和国では、やはりその風土や宗教、トルコタイルなどの伝統の固有性を、積極的に建築に取り入れている［p.13 図6］。タウトは常に、その地に持続し永続するもの、歴史の集積として受け継がれるべきものを見いだそうとしていたのである。

このことをふまえてタウトのファインダー越しのまなざしを考えるならば、被写体が伝統的な建築や素朴な民家や農家であっても、祭や葬儀であっても、まなざしは率直にタウトの好奇心を反映している。性急な好奇心の反応ゆえにピンぼけが多いのではないとは思うが。単なる異文化への好奇心というよりも、たとえば子供たちのきものの鮮やかな色柄、花見の酒宴、スラムの臭い、朽ち果てそうな民家など、生活を貫く通奏低音のような正負両極のエネルギーに、タウトの好奇心は一瞬のうちに吸い寄せられたかに思われるのである[pp.139-155]。

しかしこのようなタウトのまなざしは時代の趨勢に埋没し、タウトが見た「もうひとつのニッポン」のかなりの部分が欠落したまま、タウトのイメージは固定されていった。その結果、坂口安吾は第2次大戦下の昭和17(1942)年にタウトの言説に対して次のように切り込んだ。

> タウトは日本を発見しなければならなかったが、我々は日本を発見するまでもなく、現に日本人なのだ。
>
> 坂口安吾「日本文化私観」『堕落論』角川文庫 1984年(p.11)

安吾がタウトを誤解したのではない。安吾が「直接はらわたに食い込むような力」(同書、p.33)と表現した同じエネルギーへの共鳴を、実はタウトと共有していたことを当時の安吾は知るよしもなかったのである。

タウトのカメラアイは、現在の私たちにとってはタウトの「もうひとつのニッポン」である。しかしタウトにとっては、驚きも、喜びも、不快さも巻き込んで持続するエネルギーのすべてが「発見」であり、そこにタウトにとっての「ニッポン」が存在していたはずである。タウトの眼に新鮮に映じた、悠々と継続する生活のエネルギー、そのなかで紡がれていく時間が集積することの意味を、今や私たちが「再発見」しなければならないと、タウトの写真が語りかけているのかもしれない。

註1 —「建築家ブルーノ・タウトのすべて」展（国立国際美術館ほか巡回、1984-85年）開催にあたり、筆者らはタウト関連の邦文文献目録を作成した。収集された文献の多くに、タウトは「日本美の発見者」として引用されている例を見いだすことができた。詳細は、酒井道夫「〈タウト再読〉覚え書き」、『シンポジウム「タウト再考」』武蔵野美術大学、1986年（pp. 48-57）。

註2 — 篠田英雄訳『日本 — タウトの日記』岩波書店、5巻本1950-58年、3巻本1975年。

註3 — *Houses and People of Japan*, John Gifford Ltd., 1937, London（奥付はロンドンでの発行になっているが、実際には三省堂）。邦訳は、1949年に雄鶏社より吉田鉄郎・篠田英雄訳で『日本の家屋と生活』として出版された。また、1997年にはドイツでManfred Speidel監修のもとに *Das japanische Haus und sein Leben* としてGebr. Mann, Berlinより上梓。

註4 — 笹間一夫『今昔「飛騨から裏日本へ」— タウトの見たもの』（井上書院、1979年）は、タウトの日本旅行の経路をたどり直し、タウトの見聞を検証しようとした試みであった。

タウトのまなざしは、伝統的なもの、同時代的なものなど、さまざまな日本の生活に注がれていた。民家、町並みの写真は、建築家タウトとしての視点でもあったのだろうが、同時に、今や失われた日本の民俗文化を伝える記録となっている。タウトが強い関心を示した日本式の「おんぶ」や「職人」の仕事ぶりなど、昭和初期の日本の暮らしぶりが圧倒的な迫力を持って迫ってくる。

職人の仕事

1

2

3

精緻な職人の仕事ぶりを日記に「［p.35に登場する花柳壽美の新築の家で］大工が彼らの工具を見せてくれる。［略］仕事は家具職人に等しい。（1933. 5. 27）」とタウトは書いている。1-3が花柳邸で撮影されたものかどうかは不明。

1. 東京、1933年初夏。鉋（かんな）、金槌（かなづち）、鑿（のみ）、墨壺（すみつぼ）などの道具類。
2. 同上、1の作業のつづき。梁と束（つか）の仮組の様子か。
3. 同上、壁を塗る職人。独特なアングルはタウトならでは？

アルバムの中の「キッチュ」

4

5

6

「Kitsch」とアルバム台紙に書き込まれた写真が3枚ある。

4. おそらく東京、1933年秋。「Tempel+Feuer…[不明]」と「Kitsch」の下に書かれている。「寺+消防組詰所」とでも言うべきか。
5. 場所不明、1933年秋。何が「Kitsch」なのかも不明。
6. 京都、1934年夏。傘をさす見返り美人のショットかと思いきや、奥にある西陣電話局（岩元禄設計、1921年）が「Kitsch」らしい。

桂離宮・修学院離宮

7

8

9

来日した翌日、桂離宮に大感激したタウトであったが、撮影禁止でもあり、アルバムに1点しか残されていない[p. 19右上]。しかもそれは入口の竹垣。後に訪れた際の写真9点より。

7. 京都、1934年夏。修学院の生垣と小道。
8. 同上、桂離宮入口。
9. 同上、桂離宮。ピンボケではないこのような写真もたまにある。この写真の上には「Katsura」と書き込みあり。

東京のスラム?

10

11

12

明治書房『ニッポン―ヨーロッパ人の眼で見た』(初版)にも掲載された写真。その写真キャプションは「東京のスラム」となっている。タウトから見ると「スラム」であったかもしれないが、道ゆく人の白い割烹着や、帽子をかぶった子供から判断すると、当時はごく普通の生活風景だったのかもしれない。3点とも同じ場所で撮影されたようだ。

10. 東京、1933年夏。
11. 同上、主人公は中央の子供か、ひるがえる洗濯物か。
12. 同上、たしかにバラックではあるが…。

きもの姿の子供たち

13

14

15

タウトは子供たちのきものの鮮やかさをしばしば日記に書いている。それはどのようなものであったのか、このアルバムを見て初めて納得がゆく。

13. 奈良、1933年冬。アルバムには「Shinto-fest」（神道の祭）という書き込みあり。
14. 京都・円山公園、1934年春。晴着の子供の手を引く中央のおばさんはタウトが強い関心をよせていた「おんぶ」姿。
15. 1934年夏、少林山（群馬県高崎市）か。

町なかの子供たち

16

16. 東京、1933年夏。タウトはこの写真を『ニッポン―ヨーロッパ人の眼で見た』（初版）に掲載しようと「ジードルンクの子供たち、中庭の洗濯場で、東京」とキャプションをつけていたが、なぜか没。右端の子供のブレから判断するにシャッタースピード1/10くらいか。

17

18

19

アルバムではさほど多くはない東京の新しい建築。

17. 東京、1933年春。銀座の泰明小学校ちかくにあった「徳田ビル」、土浦亀城設計（1932年）。p.31の大使館と同じ頁に貼られている。
18. 東京、1933年秋。「明治製菓銀座売店」、渡辺仁設計（1933年）。1933年11月号の『婦人之友』に掲載された「新建築小探検旅行 ―ブルノ・タウト氏と東京を歩く」の取材の折に撮影［p. 51］。
19. 東京、1933年秋、p.51の日記に登場する「森五ビル」、村野藤吾設計（1930年）。

20

21

22

20. 京都、1933年夏。『ニッポン― ヨーロッパ人の眼で見た』（初版）掲載時のキャプションは「凡庸建築」となっている。どうやらタウトのお好みではなかったらしい。

21. 東京、1933年秋。日本橋白木屋（デパート）。石本喜久治設計。「白木屋百貨店の昼休みに、工芸部部長の案内のもと、建物をかなりじっくりと見た。石本の建物は退屈で、その『建築』はとても趣味が悪い。（1933.9.15）」とタウトは日記に書いた。

22. 東京、1933年秋。東京中央郵便局、吉田鉄郎設計（1931年）。春に初めて訪れたときには「とても良い即物的な建築だ。」と日記で絶賛（1933.5.28）。

異文化へのまなざし

23

24

25

祭、葬式、墓、ちんどん屋など、異文化の特徴が強いものに、外国人タウトの好奇心がひきつけられた。

23. 群馬県・少林山の葬儀、1934年冬。
24. 同上、図23の葬儀のおりの墓の様子らしく、アルバムには2枚が並べられて「Begräbnis〔葬式〕」と書いてある。
25. 神奈川県・葉山のちんどん屋、1933年夏。この頁にはp.50の葬式の写真も貼られている。

26

27

28

26. 京都、1933年5月。雨の日の葵祭[p. 29]はよほど印象深かったらしく、5枚の写真が遺されている。葵祭とおなじくタウトの眼をひいたのは「雨の日に［装着を］定められている車のタイヤカバー(1933. 5. 15)」だった。

27. 東京、1933 年5月。「狭い場所に池のようなプール (1933. 5. 30)」があると日記に記されている赤坂の氷川国民学校 [p. 36] のプールと思われる。

28. 神奈川県・葉山、1933年夏。民家の庭に祀られた盆棚。台紙には「Totenehrung (死者への敬意)」と書き込まれている。

「おんぶ」アルバム日記

29

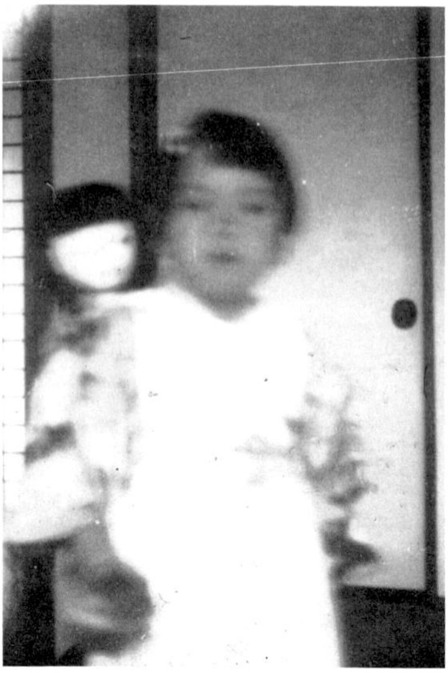

30

31

来日当初のタウトは、日本の「おんぶ」について懐疑的に「婦人の背中の子供―衛生的だろうか？(1933.5.11)」と日記に書いたが、約1カ月後にはこの習慣が「分別のある子供」を育てる結果になっているのではないかと、次のような記述を残すにいたった。

「午後雨が止み、海岸［葉山］を散歩すると、漁師が舟を浜に引き上げている。背中に子供をしっかりとしょった女が、けんめいに手伝っている。そうして子供もいつもそれ［仕事］に関わっているので、日本の子供は分別があるのだろうか？(1933.6.7)」。

32

33

34

29. 箱根観光の写真と同じ頁に貼られている。1933年夏。子供が子供を「おんぶ」することが奇異に思えたようだ。
30. タウトの住んでいた洗心亭に遊びに来た子供らしい、1935年冬。図41、図45と同じ頁。
31. 京都近郊か。アルバムで最初に登場する「おんぶ」。1933年初夏。
32. 新潟県・新津、1935年2月。ちんどん屋のいる町かどに集まる人々の右端にもおんぶ。
33. 仙台周辺［pp. 61 - 64］、1934年2月。僧侶の餅つき。よほどこのシーンが目に焼き付いたのか、2枚連続して撮影。さらに引き伸ばされた1枚も遺っている。
34. 仙台周辺（同上）、1934年2月。「アクティヴな写真の時代を実践した果敢な」1枚［p. 103］。

北国の子供たち

35

36

37

カメラを向けるタウトに子供たちも興味津々。

35. 仙台周辺 [pp.61-64]、1934年2月。靴修理、同じ構図の2枚が遺されており、よく見るとその1枚には小さな子供が写っている。1枚撮り終えたあとで、よちよち歩いて加わった子供を思わず撮ったものか。
36. 仙台周辺（同上）、1934年2月。地方独特の民家をおさめたもの。アルバムには絵はがきのようなプロの撮影と思われる同じタイプの民家写真とともに貼られている。
37. 岩手県・中尊寺付近1934年2月 [p.66]。

38

39

40

図38-40はアルバムⅡの別々の頁に貼られているが、商家の店先に積まれた練炭らしきものや、キリンの看板など、よく見るとこの3枚は連続写真のようだ。ここでも主役は子供をおんぶする子供。

38. 仙台周辺［pp. 61-64］、1934年2月。
39. 同上。
40. 同上。

タウトとエリカの日常風景

41

42

43

1934年8月1日からタウトとエリカは群馬県高崎市郊外にある達磨寺の「洗心亭（紫峰荘）」に居住することになった。6畳、4.5畳だけの小さな日本家屋であった[pp. 73-75]。

41. 洗心亭の縁側。「1. Jan. 35」の書き込みがアルバムにある。タウトとエリカのいわゆるツーショットは、アルバム4冊のなかでこれ1点のみ。
42. 洗心亭、1935年冬。達磨寺の住職の娘・敏子にもたれかかるエリカか。
43. 仙台近郊、1933年秋。アルバム4冊を通じて、エリカのアップの写真はなく、いつもうつむき気味に写っている。タウトのカメラ・アイの特徴なのか、エリカの癖か。

44

45

46

高崎での生活を始めて数日後に、洗心亭での生活の準備が日記に記されている。「[縁側に]仕事場を置き、『美しさ』に意識的に静けさをもたらすためのすだれ。ここは本当に美しいからだ(1934. 8. 4)」。タウトとエリカはここで、日本での2年あまりを過ごした。

44. 庭から見た洗心亭の室内、1935年夏。手前が寝室に使用した部屋[p.74]、奥に囲炉裏がある。
45. 洗心亭、1935年冬。縁側で読み物をするエリカ。
46. 洗心亭、1935年冬。3枚重ねの布団に横たわるエリカ。

ブルーノ・タウト略歴

1880年	5月4日、東プロイセン、ケーニヒスベルク（現ロシア連邦カリーニングラード）生まれ。
1909年	フランツ・ホフマンと共同でベルリンに設計事務所を開設。第1次大戦前まで、博覧会パヴィリオンや色彩を取り入れた労働者住宅などを手がける。
1918年	大戦の終結と同時に芸術労働評議会を結成、マグデブルクの都市建築監督官を経てベルリンの公益住宅建築貯蓄組合（GEHAG）の主任建築家に就任、以後ベルリンを中心に1万2千戸にのぼる色彩豊かな集合住宅団地（ジードルンク）を建設する。
1932年	モスクワの都市計画に参加（翌年2月まで）。
1933年	ナチス政権の成立直前、エリカ・ヴィッティヒ(Erica WITTICH 1893-1975）とともにベルリンを後にして、ウラジオストックを経て釜山から敦賀に5月3日到着。翌4日の誕生日に、桂離宮を見学する。6月から7月にかけて、神奈川県葉山で『ニッポン— ヨーロッパ人の眼で見た』を執筆（翌年5月、明治書房より出版）。11月、仙台の商工省工芸指導所嘱託となる（翌年3月まで）。
1934年	5月、2度目の桂離宮訪問後に「桂のアルバム」を作成する（『画帖桂離宮』として岩波書店より1981年刊行）。8月1日、群馬県高崎市の少林山達磨寺（洗心亭）に居を移し、離日まで地元の工芸品指導と制作にあたる。12月から翌年1月にかけて「日本の芸術 —ヨーロッパ人の眼で見た」を執筆（『日本文化私観』として翌年10月、明治書房より出版）。
1935年	5月、北陸から東北にかけて旅行。麻布大倉邸、熱海日向別邸を設計する（翌年9月竣工）。
1936年	2月、秋田県内を旅行。10月15日、トルコ共和国の招聘を受け離日。11月10日、イスタンブールに到着する。アンカラ大学文学部校舎、ジャパニーズ・ハウスなど多くの建築を手がける。
1938年	12月24日、イスタンブールで死去。

1933年夏、葉山

酒井 道夫　さかい・みちお

1939年生まれ。武蔵野美術大学教授。
1960-70年にかけてインテリアデザインおよび建築の雑誌編集にたずさわる。70年大阪万博取材を経て編集現場を退き教職に就く。以後、近代印刷史および出版史を編集実務的観点から検討し、主として日本近代造形思潮の解析を試みている。単著に『印刷文化論』武蔵野美術大学出版局（2002年）。編著に『編集研究』同（2002年）、『造形学研究』同（2003年）。

沢 良子　さわ・りょうこ

1952年生まれ。東京造形大学教授。
1920年代のドイツ建築史、および日本近代建築史を研究。現在、岩波書店所蔵の「ブルーノ・タウト資料」の調査研究を進めている。「岩波書店所蔵ブルーノ・タウト資料より—タウトが見たもうひとつのニッポン」展（2004年、早稲田大学図書館）を企画開催。論考に「ブルーノ・タウト〈もうひとつのニッポン〉をめぐって」『日本近代文学』第71集（2004年）ほか。

平木 収　ひらき・おさむ

1949年生まれ。写真評論家、九州産業大学芸術学部教授。
写真評論活動を経て川崎市市民ミュージアム写真担当学芸員に。後に武蔵野美術大学、早稲田大学などの非常勤講師を歴任。「ピュリツアー賞写真」展（1998年）、「写真の世紀」展（2000年）などを制作・監修。単著に『映像文化論』武蔵野美術大学出版局（2002年）、共著に『日本の自画像』岩波書店（2004年）ほか。

タウトが撮ったニッポン

2007年3月1日　初版第1刷発行
2007年7月3日　初版第3刷発行

編者　酒井 道夫　沢 良子
著者　酒井 道夫　沢 良子　平木 収

デザイン　板東 孝明　肴倉 睦子
編集・制作　株式会社 武蔵野美術大学出版局
資料提供　株式会社 岩波書店
制作協力　創造学園大学

発行者　小石 新八
発行所　株式会社 武蔵野美術大学出版局
〒180-8566
東京都武蔵野市吉祥寺東町3-3-7
電話 0422-23-0810（営業）
0422-22-8580（編集）
http://www.musabi.co.jp/
印刷・製本　株式会社 精興社

Printed in Japan
ISBN978-4-901631-75-4 C0072
定価はカバーに表記してあります
乱丁、落丁本はお取り替えいたします